수학 전문가가 만든 연산 교재

원리셈

5학년 4

분수와 소수의 곱셈

지은이의 말

수학은 원리로부터

수학은 구체물의 관계를 숫자와 기호의 약속으로 나타내는 추상적인 학문입니다. 이 점이 아이들이 수학을 어려워하는 가장 큰 이유입니다. 이러한 수학은 제대로 된 이해를 동반할 때 비로소 힘을 발휘할 수 있습니다. 수학은 어느 단계에서나 원리가 가장 중요합니다.

수학 교육의 변화

답을 내는 방법만 알아도 되는 수학 교육의 시대는 지나고 있습니다. 연산도 한 가지 방법만 반복 연습하기 보다 다양한 풀이 방법이 중요합니다. 교과서는 왜 그렇게 해야 하는지 가르쳐 주고 다양한 방법을 생각하도록 하지만, 학생들은 단순하게 반복되는 연습에 원리는 잊어버리고 기계적으로 답을 내다보니 응용된 내용의 이해가 부족합니다.

연산 학습은 꾸준히

유초등 학습 단계에 따라 4권~6권의 구성으로 매일 10분씩 꾸준히 공부할 수 있습니다. 원리와 다양한 방법의 학습은 그림과 함께 재미있게, 연습은 다양하게 진행하되 마무리는 집중하여 진행하도록 했습니다. 부담 없는 하루 학습량으로 꾸준히 공부하다 보면 어느새 연산 실력이 부쩍 늘어난 것을 알 수 있습니다.

개정판 원리셈은

동영상 강의 확대/초등 고학년 원리 학습 과정 강화 등으로 교과 과정을 완벽하게 대비할 수 있도록 원리와 개념, 계산 방법을 학습합니다. 단계별 원리 학습은 물론이고 연습도 강화했습니다.

학부모님들의 연산 학습에 대한 고민이 원리셈으로 해결되었으면 하는 바람입니다.

지은이 *천종현*

원리셈의 특징

✓ **원리셈의 학습 구성**

한 권의 책은 매일 10분 / 매주 5일 / 6주 학습

✓ **원리셈의 시나브로 강해지는 학습 알고리즘**

초등 원리셈은

시작은 원리의 이해로부터, 마무리는 충분한 연습과 성취도 확인까지

✓ **체계적인 학습 구성**

쉽게 이해하고 스스로 공부!
실수가 많은 부분은 별도로 확인하고 연습!
주제에 따라 실전을 위한 확장적 사고가 필요한 내용까지!
원리로 시작되는 단계별 학습으로 곱셈구구마저 저절로 외워진다고 느끼도록!

원리셈 전체 단계

 ## 키즈 원리셈

 ## 초등 원리셈

초등 원리셈의 단계별 학습 목표

원리와 연습을 모두 잡는 원리셈!!

학년별 학습 목표와 다른 책에서는 만나기 힘든 특별한 내용을 확인해 보세요.

● 1학년 원리셈

모든 연산 과정 중 실수가 가장 많은 덧셈, 뺄셈의 집중 연습
여러 가지 계산 방법 알기
덧셈, 뺄셈의 관계를 이용한 '□ 구하기'의 이해

● 2학년 원리셈

두 자리 덧셈, 뺄셈의 여러 가지 계산 방법의 숙지와 이해
곱셈 개념을 폭넓게 이해하고, 곱셈구구를 힘들지 않게 외울 수 있는 구성
나눗셈은 3학년 교과의 내용이지만 곱셈구구를 외우는 것을 도우면서 곱셈구구의 범위에서 개념 위주 학습

● 3학년 원리셈

기본 연산은 정확한 이해와 충분한 연습
곱셈, 나눗셈의 관계를 이용한 '□ 구하기'의 이해
분수는 학생들이 어려워 하는 부분을 중점적으로 이해하고, 연습하도록 구성

● 4학년 원리셈

작은 수의 곱셈, 나눗셈 방법을 확장하여 이해하는 큰 수의 곱셈, 나눗셈
교과서에는 나오지 않는 실전적 연산을 포함
많이 틀리는 내용은 별도 집중학습

● 5학년 원리셈

연산은 개념과 유형에 따라 단계적으로 학습 후 충분한 연습
약수와 배수는 기본기를 단단하게 할 수 있는 체계적인 구성

● 6학년 원리셈

분수와 소수의 나눗셈은 원리를 단순화하여 이해
비의 개념을 확장하여 문장제 문제 등에서 만나는 비례 관계의 이해와 적용
비와 비례식은 중등 수학을 대비하는 의미도 포함. 강추 교재!!

5학년 구성과 특징

1권 자연수의 혼합 계산은 학생들이 어려움을 겪는 주제로, 단계적으로 공부하면서 쉽게 방법을 익힐 수 있도록 했습니다. 약수와 배수, 분수의 덧셈과 뺄셈, 분수와 소수의 곱셈은 원리를 알아보고, 연습은 빠르고, 정확하게 할 수 있도록 충분하게 진행합니다.

원리

원리를 직관적으로 이해하고 쉽게 공부할 수 있도록 하였습니다.

다양한 계산 방법

다양한 계산 방법을 공부함으로써 수를 다루는 감각을 키우고, 상황에 따라 더 정확하고 빠른 계산을 할 수 있도록 하였습니다.

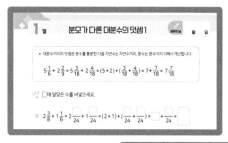 

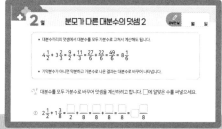

연습

기본 연습 문제를 중심으로 여러 형태의 문제로 지루하지 않게 반복하여 연습할 수 있도록 구성하였습니다.

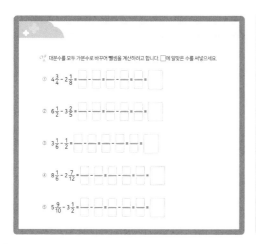

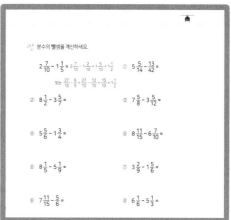

도전! 계산왕

주제가 구분되는 두 개의 단원은 정확성과 빠른 계산을 위한 집중 연습으로 주제를 마무리 합니다.

성취도 평가

개념의 이해와 연산의 수행에 부족한 부분은 없는지 성취도 평가를 통해 확인합니다.

✓ 책의 사이사이에 학생의 학습을 돕기 위한 저자의 내용을 잘 이용하세요.

📖 단원의 학습 내용과 방향

한 주차가 시작되는 쪽의 아래에 그 단원의 학습 내용과 어떤 방향으로 공부하는지를 설명해 놓았습니다.
학부모님이나 학생이 단원을 시작하기 전에 가볍게 읽어 보고 공부하도록 해 주세요.

📚 이해를 돕는 저자의 동영상 강의

처음 접하는 원리/개념과 연산 방법의 이해를 돕기 위한 동영상 강의가 있으니 이해가 어려운 내용은 QR코드를
이용하여 편리하게 동영상 강의를 보고, 공부하도록 하세요.

학습 동영상

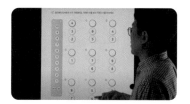

✋ 학습 Tip   간략한 도움글은 각 쪽의 아래에 있습니다.

✍ 천종현수학연구소 네이버 카페와 홈페이지를 활용하세요.

카페와 홈페이지에는 추가 문제 자료가 있고, 연산 외에서 수학 학습에 어려움을 상담 받을 수 있습니다.

네이버에서 천종현수학연구소를 검색하세요.

· **1** 주차 ·

진분수와 가분수의 곱셈

분수의 곱셈 방법은 단순합니다. 대분수가 있다면 모두 가분수로 바꾼 후, 약분을 먼저 하고 분모끼리, 분자끼리 곱하여 계산합니다. 분수의 곱셈을 처음 배울 때 서로 다른 분수의 분모와 분자를 약분하는 습관을 들여야 빠르고 정확하게 계산할 수 있습니다.

분수의 곱셈의 이해

- 진분수와 가분수의 곱셈은 분자끼리, 분모끼리 곱하여 계산합니다. 그림으로 나타내면 아래와 같습니다.

$$\frac{2}{5} \times \frac{2}{3} = \frac{2 \times 2}{5 \times 3} = \frac{4}{15}$$

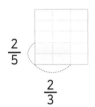

$\frac{2}{5}$와 $\frac{2}{3}$의 곱셈은 가로, 세로가 1인 정사각형을

가로 5, 세로 3으로 나눈 것 중
가로 2, 세로 2만큼을 색칠한 것과 같습니다.

🐛 두 분수 곱셈을 계산하고, 정사각형의 크기를 1이라고 할 때 계산 결과를 색칠하여 나타내세요.

① $\frac{1}{2} \times \frac{1}{3} =$

② $\frac{1}{3} \times \frac{2}{5} =$

③ $\frac{1}{2} \times \frac{3}{5} =$

④ $\frac{2}{3} \times \frac{2}{3} =$

● 대분수의 곱셈은 가분수로 바꾸고 분자끼리, 분모끼리 곱하여 계산합니다. 그림으로 나타내면 아래와 같습니다.

$$1\frac{2}{3} \times 2\frac{1}{2} = \frac{5}{3} \times \frac{5}{2} = \frac{5 \times 5}{3 \times 2} = \frac{25}{6} = 4\frac{1}{6}$$

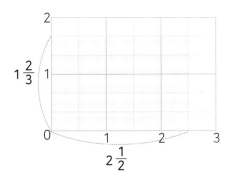

$\frac{5}{3}$와 $\frac{5}{2}$의 곱셈은 가로, 세로가 1인 정사각형을

가로 3, 세로 2로 나눈 것 중

가로 5, 세로 5만큼을 색칠한 것과 같습니다.

두 분수 곱셈을 계산하고, 계산 결과를 색칠하여 나타내세요.

① $2\frac{1}{3} \times 1\frac{3}{5} =$

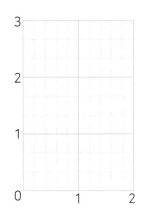

② $1\frac{1}{3} \times 1\frac{1}{6} =$

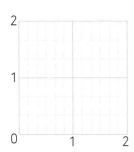

계산을 하세요.

① $\dfrac{3}{5} \times \dfrac{1}{4} =$

② $\dfrac{6}{7} \times \dfrac{2}{5} =$

③ $\dfrac{5}{8} \times \dfrac{1}{3} =$

④ $\dfrac{7}{9} \times \dfrac{2}{3} =$

⑤ $\dfrac{1}{4} \times \dfrac{1}{5} =$

⑥ $\dfrac{3}{16} \times \dfrac{1}{5} =$

⑦ $2\dfrac{1}{3} \times 2\dfrac{1}{3} =$

⑧ $1\dfrac{3}{4} \times 1\dfrac{4}{5} =$

⑨ $3\dfrac{3}{7} \times 1\dfrac{3}{5} =$

⑩ $6\dfrac{1}{5} \times 1\dfrac{3}{4} =$

⑪ $1\dfrac{2}{7} \times 3\dfrac{1}{4} =$

⑫ $4\dfrac{1}{3} \times 2\dfrac{1}{6} =$

분수의 곱셈과 약분

● 분수를 곱한 후 약분이 되는 경우 약분하여 기약분수로 답을 써야 합니다. 곱하기 전에 약분을 하면 곱셈이 더 간단해집니다.

$$\frac{5}{9} \times \frac{3}{8} = \frac{\overset{5}{\cancel{15}}}{\underset{24}{\cancel{72}}} = \frac{5}{24} \quad \Longrightarrow \quad \frac{5}{9} \times \frac{\overset{1}{\cancel{3}}}{8} = \frac{5}{24}$$
₃

약분을 해서 빈칸을 채우고 곱셈을 계산하세요.

① $\dfrac{5}{\cancel{8}} \times \dfrac{\cancel{4}}{9} =$ ☐ ☐

② $\dfrac{5}{6} \times \dfrac{7}{10} =$ ☐ ☐

③ $\dfrac{3}{4} \times \dfrac{8}{15} =$ ☐ ☐ ☐

④ $\dfrac{5}{6} \times \dfrac{3}{4} =$ ☐ ☐

⑤ $\dfrac{4}{5} \times \dfrac{5}{8} =$ ☐ ☐ ☐

⑥ $\dfrac{1}{6} \times \dfrac{2}{3} =$ ☐ ☐

⑦ $\dfrac{3}{10} \times \dfrac{5}{9} =$ ☐ ☐ ☐ ☐

⑧ $\dfrac{1}{9} \times \dfrac{6}{25} =$ ☐ ☐

⑨ $\dfrac{8}{21} \times \dfrac{3}{4} =$ ☐ ☐ ☐ ☐

⑩ $\dfrac{1}{12} \times \dfrac{4}{5} =$ ☐ ☐

⑪ $\dfrac{14}{15} \times \dfrac{5}{7} =$ ☐ ☐ ☐ ☐

⑫ $\dfrac{9}{10} \times \dfrac{1}{3} =$ ☐ ☐

 계산을 하세요. 단, 계산 결과가 가분수인 경우 대분수로 고쳐서 씁니다.

① $\dfrac{1}{6} \times \dfrac{1}{9} =$

② $\dfrac{1}{5} \times \dfrac{1}{8} =$

③ $\dfrac{3}{7} \times \dfrac{2}{7} =$

④ $\dfrac{1}{10} \times \dfrac{1}{2} =$

⑤ $\dfrac{2}{9} \times \dfrac{15}{22} =$

⑥ $\dfrac{7}{4} \times \dfrac{1}{2} =$

⑦ $\dfrac{6}{7} \times \dfrac{5}{12} =$

⑧ $\dfrac{6}{11} \times \dfrac{33}{8} =$

⑨ $\dfrac{6}{5} \times \dfrac{15}{8} =$

⑩ $\dfrac{15}{14} \times \dfrac{12}{5} =$

⑪ $\dfrac{8}{3} \times \dfrac{15}{4} =$

⑫ $\dfrac{49}{12} \times \dfrac{24}{7} =$

⑬ $\dfrac{33}{20} \times \dfrac{10}{9} =$

⑭ $\dfrac{8}{25} \times \dfrac{45}{4} =$

⑮ $\dfrac{2}{3} \times \dfrac{21}{32} =$

⑯ $\dfrac{14}{27} \times \dfrac{12}{35} =$

⑰ $\dfrac{15}{22} \times \dfrac{11}{30} =$

⑱ $\dfrac{81}{100} \times \dfrac{4}{9} =$

곱이 가장 크도록 세 분수 중 두 분수를 골라 곱하세요.

①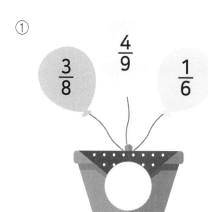

$\dfrac{3}{8}$　$\dfrac{4}{9}$　$\dfrac{1}{6}$

②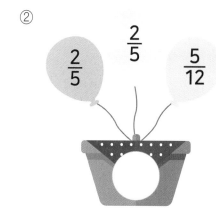

$\dfrac{2}{5}$　$\dfrac{2}{5}$　$\dfrac{5}{12}$

③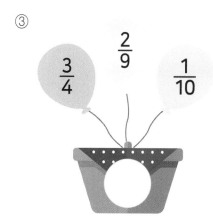

$\dfrac{3}{4}$　$\dfrac{2}{9}$　$\dfrac{1}{10}$

④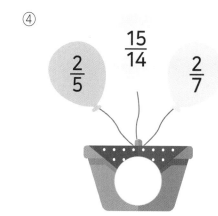

$\dfrac{2}{5}$　$\dfrac{15}{14}$　$\dfrac{2}{7}$

⑤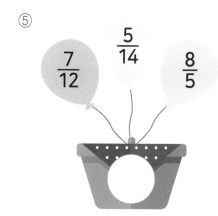

$\dfrac{7}{12}$　$\dfrac{5}{14}$　$\dfrac{8}{5}$

⑥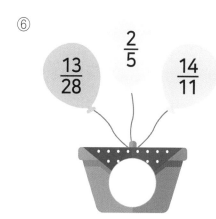

$\dfrac{13}{28}$　$\dfrac{2}{5}$　$\dfrac{14}{11}$

진분수와 자연수의 곱셈

- 분수와 자연수의 곱셈은 분모를 그대로 적고, 분자와 자연수를 곱합니다.

$$\frac{3}{4} \times 3 = \frac{3 \times 3}{4} = \frac{9}{4} = 2\frac{1}{4}$$

동영상 해설

$\frac{3}{4}$은 $\frac{1}{4}$이 3개입니다. $\frac{3}{4}$에 3을 곱하면 $\frac{1}{4}$이 9개가 됩니다. 단, 마지막 답은 꼭 기약분수로 쓰고, 가분수는 대분수로 고칩니다.

분수의 곱셈을 계산하세요.

① $\frac{3}{8} \times 2 = \frac{\square}{\square}$

② $\frac{1}{8} \times 7 = \frac{\square}{\square}$

③ $\frac{1}{4} \times 2 = \frac{\square}{\square}$

④ $\frac{1}{14} \times 7 = \frac{\square}{\square}$

⑤ $\frac{2}{5} \times 4 = \frac{\square}{\square} = \square\frac{\square}{\square}$

⑥ $\frac{5}{8} \times 10 = \frac{\square}{\square} = \square\frac{\square}{\square}$

⑦ $\frac{5}{12} \times 4 = \frac{\square}{\square} = \square\frac{\square}{\square}$

⑧ $\frac{8}{15} \times 6 = \frac{\square}{\square} = \square\frac{\square}{\square}$

⑨ $\frac{3}{14} \times 21 = \frac{\square}{\square} = \square\frac{\square}{\square}$

⑩ $\frac{9}{22} \times 33 = \frac{\square}{\square} = \square\frac{\square}{\square}$

• 자연수는 분모가 1인 분수로 생각하여 분모와 바로 약분한 후 분자끼리, 분모끼리 곱합니다.

$$\frac{5}{8} \times 4 = \frac{5}{\overset{}{\underset{2}{8}}} \times \frac{\overset{1}{4}}{1} = \frac{5}{2} = 2\frac{1}{2} \qquad \Rightarrow \qquad \frac{5}{\overset{}{\underset{2}{8}}} \times \overset{1}{4} = \frac{5}{2} = 2\frac{1}{2}$$

분수의 곱셈을 계산하세요.

① $2 \times \frac{7}{8} =$

② $\frac{2}{15} \times 3 =$

③ $\frac{1}{4} \times 2 =$

④ $10 \times \frac{2}{5} =$

⑤ $\frac{2}{3} \times 12 =$

⑥ $\frac{5}{8} \times 10 =$

⑦ $21 \times \frac{3}{7} =$

⑧ $\frac{8}{15} \times 6 =$

⑨ $30 \times \frac{7}{36} =$

⑩ $\frac{1}{48} \times 56 =$

계산을 하세요.

① $\dfrac{5}{8} \times 4 =$

② $5 \times \dfrac{7}{10} =$

③ $6 \times \dfrac{3}{8} =$

④ $\dfrac{1}{2} \times 5 =$

⑤ $3 \times \dfrac{6}{7} =$

⑥ $\dfrac{3}{4} \times 2 =$

⑦ $5 \times \dfrac{1}{5} =$

⑧ $\dfrac{1}{2} \times 9 =$

⑨ $5 \times \dfrac{3}{4} =$

⑩ $5 \times \dfrac{7}{10} =$

⑪ $12 \times \dfrac{3}{8} =$

⑫ $\dfrac{2}{9} \times 24 =$

⑬ $\dfrac{5}{9} \times 15 =$

⑭ $\dfrac{9}{10} \times 5 =$

⑮ $5 \times \dfrac{7}{10} =$

⑯ $21 \times \dfrac{2}{15} =$

⑰ $\dfrac{6}{25} \times 20 =$

⑱ $\dfrac{5}{24} \times 39 =$

세 분수의 곱셈

● 세 분수의 곱셈은 여러 번 약분을 할 수 있는 경우가 있습니다.

$$\frac{\overset{3}{\cancel{12}}}{\underset{5}{\cancel{25}}} \times \frac{17}{\underset{4}{\cancel{16}}} \times \frac{\overset{1}{\cancel{5}}}{\underset{3}{\cancel{9}}} = \frac{3}{5} \times \frac{17}{4} \times \frac{1}{9} = \frac{1 \times 17 \times 1}{5 \times 4 \times 3} = \frac{17}{60}$$

$\frac{12}{25}$ 의 분자 12는 16과 4로 약분하고, 9와 3으로 한 번 더 약분해서 1이 되었습니다.

분자와 분모를 약분하는 순서는 여러 가지가 있지만 계산 결과는 같습니다.

🖊 분모, 분자를 약분하여 가장 간단한 수로 고쳐서 곱셈을 계산하세요.

① $\dfrac{5}{7} \times \dfrac{28}{15} \times \dfrac{3}{10} = \dfrac{\square \times \square \times \square}{\square \times \square \times \square} = \dfrac{\square}{\square}$

② $\dfrac{3}{4} \times \dfrac{1}{6} \times \dfrac{4}{7} = \dfrac{\square \times \square \times \square}{\square \times \square \times \square} = \dfrac{\square}{\square}$

③ $\dfrac{9}{8} \times \dfrac{4}{7} \times \dfrac{5}{6} = \dfrac{\square \times \square \times \square}{\square \times \square \times \square} = \dfrac{\square}{\square}$

④ $\dfrac{9}{16} \times \dfrac{1}{2} \times \dfrac{12}{13} = \dfrac{\square \times \square \times \square}{\square \times \square \times \square} = \dfrac{\square}{\square}$

⑤ $\dfrac{2}{7} \times \dfrac{5}{6} \times \dfrac{3}{5} = \dfrac{\square \times \square \times \square}{\square \times \square \times \square} = \dfrac{\square}{\square}$

⑥ $\dfrac{6}{7} \times \dfrac{3}{4} \times \dfrac{1}{3} = \dfrac{\square \times \square \times \square}{\square \times \square \times \square} = \dfrac{\square}{\square}$

- 자연수는 분모가 1인 분수로 생각하여 분모와 바로 약분한 후 분자끼리, 분모끼리 곱합니다.

$$\frac{1}{6} \times 4 \times \frac{9}{10} = \frac{1}{\overset{\cancel{6}}{\underset{1}{\cancel{6}}}} \times \cancel{4} \times \frac{\overset{3}{\cancel{9}}}{\underset{5}{\cancel{10}}} = \frac{1 \times 1 \times 3}{1 \times 5} = \frac{3}{5}$$

약분을 해서 빈칸을 채우고 곱셈을 계산하세요.

① $\dfrac{2}{9} \times 3 \times \dfrac{3}{5} = \dfrac{\square \times \square \times \square}{\square \times \square} = \dfrac{\square}{\square}$

② $\dfrac{4}{7} \times \dfrac{7}{8} \times 6 = \dfrac{\square \times \square \times \square}{\square \times \square} = \square$

③ $5 \times \dfrac{3}{10} \times \dfrac{1}{3} = \dfrac{\square \times \square \times \square}{\square \times \square} = \dfrac{\square}{\square}$

④ $\dfrac{3}{4} \times 12 \times \dfrac{7}{9} = \dfrac{\square \times \square \times \square}{\square \times \square} = \square$

⑤ $\dfrac{7}{8} \times \dfrac{3}{14} \times 4 = \dfrac{\square \times \square \times \square}{\square \times \square} = \dfrac{\square}{\square}$

⑥ $26 \times \dfrac{2}{15} \times \dfrac{3}{13} = \dfrac{\square \times \square \times \square}{\square \times \square} = \dfrac{\square}{\square}$

🐛 계산을 하세요.

① $\dfrac{3}{5} \times \dfrac{1}{4} \times \dfrac{1}{3} =$

② $\dfrac{6}{7} \times \dfrac{1}{4} \times \dfrac{2}{3} =$

③ $\dfrac{5}{8} \times \dfrac{2}{3} \times \dfrac{1}{10} =$

④ $\dfrac{3}{5} \times \dfrac{7}{12} \times \dfrac{2}{3} =$

⑤ $\dfrac{5}{6} \times \dfrac{1}{4} \times \dfrac{1}{5} =$

⑥ $\dfrac{3}{16} \times \dfrac{1}{9} \times \dfrac{4}{5} =$

⑦ $15 \times \dfrac{1}{4} \times \dfrac{7}{30} =$

⑧ $\dfrac{7}{9} \times 6 \times \dfrac{3}{14} =$

⑨ $\dfrac{2}{5} \times 9 \times \dfrac{3}{18} =$

⑩ $\dfrac{1}{5} \times \dfrac{15}{28} \times 7 =$

⑪ $4 \times \dfrac{7}{8} \times \dfrac{2}{21} =$

⑫ $\dfrac{3}{16} \times \dfrac{4}{25} \times 20 =$

주어진 숫자 카드를 빈칸에 넣어 곱이 가장 작은 곱셈식을 만들고 곱을 구하세요.

①   3   5   7 $\square \times \dfrac{\square}{\square} =$

②   2   6   5 $\square \times \dfrac{\square}{\square} =$

③   9   4   8 $\square \times \dfrac{\square}{\square} =$

④   3   5   7   8 $\dfrac{\square}{\square} \times \dfrac{\square}{\square} =$

⑤   2   3   4   6 $\dfrac{\square}{\square} \times \dfrac{\square}{\square} =$

⑥   2   4   6   7 $\dfrac{\square}{\square} \times \dfrac{\square}{\square} =$

⑦   1   5   8   9 $\dfrac{\square}{\square} \times \dfrac{\square}{\square} =$

수를 두 번 곱한 마지막 결과를 구하세요.

① $\frac{7}{9}$ $\times \frac{2}{3}$ ★ $\times \frac{2}{3}$ ☐

② $\frac{9}{11}$ $\times 3$ ★ $\times \frac{11}{12}$ ☐

③ $\frac{7}{8}$ $\times \frac{2}{7}$ ★ $\times \frac{4}{5}$ ☐

④ $\frac{1}{2}$ $\times \frac{4}{9}$ ★ $\times 6$ ☐

⑤ $\frac{2}{9}$ $\times \frac{2}{3}$ ★ $\times \frac{9}{10}$ ☐

⑥ $\frac{2}{3}$ $\times \frac{1}{4}$ ★ $\times \frac{5}{6}$ ☐

⑦ $\frac{3}{4}$ $\times 5$ ★ $\times \frac{1}{10}$ ☐

🐛 문제를 읽고 알맞은 식과 답을 써 보세요.

① 어떤 정사각형의 가로를 $\frac{1}{6}$ 만큼 줄이고, 세로를 3배로 늘려 직사각형을 만들었습니다. 이 직사각형의 넓이는 처음 정사각형의 몇 배일까요?

식 : _____   답 : _____배

② 정호네 반 학생의 $\frac{1}{2}$ 은 남학생입니다. 남학생 중의 $\frac{2}{3}$ 는 안경을 썼을 때 정호네 반에서 안경을 쓰지 않은 남학생은 전체의 몇 분의 몇일까요?

식 : _____   답 : _____

③ 바닥에 떨어뜨리면 튀어 오르는 높이가 떨어진 높이의 $\frac{4}{5}$ 가 되는 공이 있습니다. 이 공을 3 m 높이에서 떨어뜨렸을 때 튀어 오르는 높이는 몇 m일까요?

식 : _____   답 : _____m

④ 한 변의 길이가 $\frac{8}{5}$ cm인 정사각형의 넓이는 몇 cm²일까요?

식 : _____   답 : _____cm²

· **2**주차 ·
여러 가지 분수의 곱셈

대분수의 곱셈 방법을 알아보고, 대분수의 곱셈과 여러 가지 분수의 곱셈을 연습합니다. 분수의 곱셈은 앞으로 많이 다루게 됩니다. 빠르고 정확하게 답을 구할 수 있도록 연습하세요.

- 대분수와 자연수의 곱셈은 두 가지 방법이 있습니다.

  ① 대분수를 가분수로 바꾸어 곱합니다.

  $$2\frac{2}{9} \times 6 = \frac{20}{9} \times \overset{2}{6} = \frac{40}{3} = 13\frac{1}{3}$$

빈칸을 채워 곱셈을 계산하세요.

① $3 \times 2\frac{2}{11} = \square \times \dfrac{\square}{\square} = \square\dfrac{\square}{\square}$

② $3 \times 3\frac{5}{12} = \square \times \dfrac{\square}{\square} = \square\dfrac{\square}{\square}$

③ $1\frac{3}{8} \times 2 = \dfrac{\square}{\square} \times \square = \square\dfrac{\square}{\square}$

④ $2\frac{3}{4} \times 6 = \dfrac{\square}{\square} \times \square = \square\dfrac{\square}{\square}$

⑤ $1\frac{1}{6} \times 4 = \dfrac{\square}{\square} \times \square = \square\dfrac{\square}{\square}$

⑥ $1\frac{2}{5} \times 4 = \dfrac{\square}{\square} \times \square = \square\dfrac{\square}{\square}$

⑦ $6 \times 2\frac{2}{9} = \square \times \dfrac{\square}{\square} = \square\dfrac{\square}{\square}$

⑧ $3\frac{2}{3} \times 2 = \dfrac{\square}{\square} \times \square = \square\dfrac{\square}{\square}$

⑨ $1\frac{3}{8} \times 8 = \dfrac{\square}{\square} \times \square = \square$

⑩ $2 \times 4\frac{3}{8} = \square \times \dfrac{\square}{\square} = \square\dfrac{\square}{\square}$

- 대분수와 자연수의 곱셈은 두 가지 방법이 있습니다.

② 자연수 부분과 분수 부분을 각각 자연수와 곱합니다.

$$2\frac{2}{9} \times 6 = 2 \times 6 + \frac{2}{9} \times \overset{2}{\cancel{6}}$$

$$= 12 + \frac{4}{3} = 12 + 1\frac{1}{3} = 13\frac{1}{3}$$

두 수 ▲와 ◆의 합에 ★을 곱한 것을
▲와 ◆가 담긴 바구니가 ★개 있는 것으로 이해하면
▲도 ★배가 되고, ◆도 ★배가 됩니다.
(▲+◆)×★=(▲×★)+(◆×★)
대분수와 자연수의 곱셈에서 자연수를 ▲, 진분수를 ◆
로 생각하고 왼쪽과 같이 계산합니다.

빈칸을 채워 곱셈을 계산하세요.

① $2\frac{1}{3} \times 9 = \square \times \square + \dfrac{\square}{\square} \times \square = \square + \square = \square$

② $6 \times 1\frac{3}{4} = \square \times \square + \square \times \dfrac{\square}{\square} = \square + \dfrac{\square}{\square} = \square + \square\dfrac{\square}{\square} = \square\dfrac{\square}{\square}$

③ $3\frac{1}{4} \times 4 = \square \times \square + \dfrac{\square}{\square} \times \square = \square + \square = \square$

④ $3 \times 4\frac{1}{3} = \square \times \square + \square \times \dfrac{\square}{\square} = \square + \square = \square$

⑤ $1\frac{3}{8} \times 2 = \square \times \square + \dfrac{\square}{\square} \times \square = \square + \dfrac{\square}{\square} = \square\dfrac{\square}{\square}$

Tip

보통은 ①번 방법으로 가분수로 바꾸어 계산하고, 자연수와 분모가 약분되는 간단한 경우는 ②번 방법도 사용할 수 있습니다.

계산을 하세요.

① $2\dfrac{2}{3} \times 2 =$

② $4 \times 1\dfrac{5}{6} =$

③ $3 \times 3\dfrac{3}{4} =$

④ $2\dfrac{1}{6} \times 8 =$

⑤ $4\dfrac{2}{9} \times 6 =$

⑥ $5\dfrac{5}{8} \times 4 =$

⑦ $3 \times 1\dfrac{1}{4} =$

⑧ $1\dfrac{2}{5} \times 4 =$

⑨ $5\dfrac{1}{12} \times 6 =$

⑩ $2 \times 3\dfrac{1}{10} =$

⑪ $1\dfrac{2}{15} \times 10 =$

⑫ $3\dfrac{5}{12} \times 8 =$

⑬ $2\dfrac{5}{24} \times 9 =$

⑭ $12 \times 1\dfrac{7}{36} =$

대분수의 곱셈

동영상 해설

• 대분수를 모두 가분수로 바꾸고 분수의 곱셈을 계산합니다.

$$2\frac{2}{5} \times 1\frac{5}{6} = \frac{\overset{2}{\cancel{12}}}{5} \times \frac{11}{\underset{1}{\cancel{6}}} = \frac{2 \times 11}{5 \times 1} = \frac{22}{5} = 4\frac{2}{5}$$

대분수의 곱셈 순서는 1) 대분수를 가분수로 바꾼다. 2) 분모와 분자를 약분한다.

3) 분모끼리, 분자끼리 곱한다. 4) 마지막 답은 대분수로 쓴다.

빈칸을 채워 곱셈을 계산하세요.

① $3\frac{2}{5} \times 1\frac{2}{3} = \dfrac{\square}{\square} \times \dfrac{\square}{\square} = \dfrac{\square}{\square} = \square\dfrac{\square}{\square}$

② $1\frac{1}{2} \times 1\frac{1}{3} = \dfrac{\square}{\square} \times \dfrac{\square}{\square} = \dfrac{\square}{\square} = \square$

③ $1\frac{2}{3} \times 1\frac{4}{5} = \dfrac{\square}{\square} \times \dfrac{\square}{\square} = \square$

④ $2\frac{1}{7} \times 2\frac{1}{3} = \dfrac{\square}{\square} \times \dfrac{\square}{\square} = \square$

⑤ $2\frac{1}{3} \times 1\frac{1}{5} = \dfrac{\square}{\square} \times \dfrac{\square}{\square} = \dfrac{\square}{\square} = \square\dfrac{\square}{\square}$

⑥ $1\frac{1}{6} \times 1\frac{2}{7} = \dfrac{\square}{\square} \times \dfrac{\square}{\square} = \dfrac{\square}{\square} = \square\dfrac{\square}{\square}$

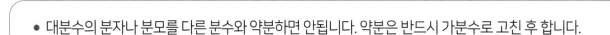

- 대분수의 분자나 분모를 다른 분수와 약분하면 안됩니다. 약분은 반드시 가분수로 고친 후 합니다.

잘못된 계산 - $3\frac{3}{8} \times 2\frac{2}{15}^{1}$

$\frac{}{4}$

화살표끼리 서로 약분

바른 계산 - $3\frac{3}{8} \times 2\frac{2}{15} = \frac{\overset{9}{27}}{\underset{1}{8}} \times \frac{\overset{4}{32}}{\underset{5}{15}} = \frac{36}{5} = 7\frac{1}{5}$

🐛 계산을 하세요.

① $2\frac{4}{5} \times 1\frac{1}{4} =$

② $1\frac{5}{6} \times 1\frac{1}{5} =$

③ $4\frac{1}{6} \times 1\frac{3}{5} =$

④ $1\frac{1}{9} \times 4\frac{4}{5} =$

⑤ $3\frac{3}{7} \times 1\frac{2}{3} =$

⑥ $4\frac{4}{9} \times 1\frac{1}{20} =$

⑦ $5\frac{5}{6} \times 1\frac{2}{7} =$

⑧ $2\frac{1}{10} \times 2\frac{1}{2} =$

⑨ $2\frac{11}{14} \times 3\frac{1}{3} =$

⑩ $5\frac{5}{16} \times 1\frac{3}{17} =$

가로, 세로로 두 분수의 곱셈을 계산하세요.

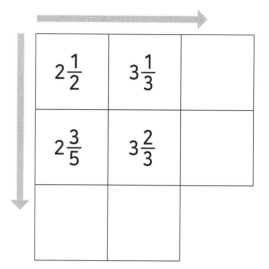

$1\dfrac{5}{6}$	$1\dfrac{1}{4}$	
$2\dfrac{2}{5}$	$1\dfrac{7}{18}$	

$2\dfrac{1}{2}$	$3\dfrac{1}{3}$	
$2\dfrac{3}{5}$	$3\dfrac{2}{3}$	

$1\dfrac{1}{2}$	$2\dfrac{4}{5}$	
$3\dfrac{2}{3}$	$1\dfrac{3}{4}$	

$1\dfrac{7}{9}$	$1\dfrac{3}{4}$	
$1\dfrac{9}{11}$	$3\dfrac{3}{10}$	

여러 가지 분수의 곱셈

- 분수가 포함된 곱셈은 한 가지 계산 방법으로 간편하게 풀 수 있습니다.

  1) 대분수를 가분수로 고친다.

  2) 약분을 해서 수를 간단히 한다.

  3) 분모끼리, 분자끼리 곱한다.

  4) 대분수로 나타낼 수 있는 것은 대분수로 고친다.

분수의 곱셈을 계산하세요.

① $\dfrac{5}{6} \times \dfrac{3}{4} =$

② $1\dfrac{1}{3} \times \dfrac{1}{2} =$

③ $5 \times \dfrac{9}{2} =$

④ $1\dfrac{5}{6} \times 2\dfrac{1}{4} =$

⑤ $\dfrac{5}{8} \times 2\dfrac{1}{10} =$

⑥ $\dfrac{2}{3} \times 12 =$

⑦ $2\dfrac{1}{7} \times 3\dfrac{1}{2} =$

⑧ $\dfrac{5}{8} \times \dfrac{4}{7} =$

⑨ $\dfrac{9}{16} \times \dfrac{12}{13} =$

⑩ $4\dfrac{5}{7} \times \dfrac{4}{9} =$

분수의 곱셈을 계산하세요.

① $\dfrac{2}{5} \times 4 =$

② $2\dfrac{1}{4} \times 18 =$

③ $\dfrac{1}{12} \times \dfrac{4}{5} =$

④ $2\dfrac{1}{3} \times 1\dfrac{1}{5} =$

⑤ $\dfrac{1}{9} \times \dfrac{6}{25} =$

⑥ $1\dfrac{2}{3} \times 1\dfrac{4}{5} =$

⑦ $20 \times \dfrac{1}{2} =$

⑧ $15 \times 1\dfrac{1}{6} =$

⑨ $\dfrac{2}{7} \times \dfrac{5}{6} =$

⑩ $1\dfrac{2}{7} \times \dfrac{1}{4} =$

⑪ $1\dfrac{1}{8} \times 6\dfrac{2}{3} =$

⑫ $1\dfrac{2}{3} \times 6 =$

⑬ $2\dfrac{5}{8} \times 12 =$

⑭ $\dfrac{2}{9} \times 27 =$

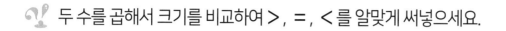 두 수를 곱해서 크기를 비교하여 >, =, < 를 알맞게 써넣으세요.

① $\boxed{1\dfrac{2}{3} \mid 2\dfrac{2}{5}}$ $\bigcirc$ $\boxed{9 \mid \dfrac{1}{3}}$

② $\boxed{\dfrac{2}{3} \mid 2}$ $\bigcirc$ $\boxed{\dfrac{4}{9} \mid 3\dfrac{1}{3}}$

③ $\boxed{2\dfrac{1}{7} \mid 4\dfrac{1}{3}}$ $\bigcirc$ $\boxed{1\dfrac{1}{9} \mid 8}$

④ $\boxed{5\dfrac{5}{6} \mid 1\dfrac{2}{7}}$ $\bigcirc$ $\boxed{2\dfrac{1}{4} \mid 3\dfrac{1}{3}}$

⑤ $\boxed{10\dfrac{2}{3} \mid \dfrac{1}{2}}$ $\bigcirc$ $\boxed{\dfrac{6}{7} \mid 6\dfrac{2}{9}}$

⑥ $\boxed{1\dfrac{1}{4} \mid 8}$ $\bigcirc$ $\boxed{6\dfrac{3}{10} \mid 1\dfrac{17}{18}}$

대분수가 포함된 세 분수의 곱셈

🦆 계산을 하세요.

① $2\frac{4}{7} \times \frac{5}{6} \times 5 =$

② $3\frac{1}{6} \times 2 \times \frac{2}{3} =$

③ $2\frac{1}{3} \times \frac{2}{3} \times 6 =$

④ $4\frac{4}{5} \times \frac{3}{4} \times 2 =$

⑤ $8\frac{2}{5} \times 3 \times \frac{5}{21} =$

⑥ $18 \times 1\frac{3}{16} \times \frac{4}{9} =$

⑦ $3 \times 6\frac{3}{7} \times \frac{2}{9} =$

Tip

대분수가 포함된 세 분수의 계산 방법도 두 분수의 계산 방법과 같습니다. 가분수로 고치고 약분할 수 있는 것을 모두 약분하고 계산한다면 간편하게 계산할 수 있습니다.

계산을 하세요.

① $1\dfrac{8}{9} \times \dfrac{2}{3} \times 6 =$

② $1\dfrac{3}{4} \times 3 \times \dfrac{2}{7} =$

③ $1\dfrac{5}{6} \times \dfrac{3}{5} \times 12 =$

④ $4\dfrac{2}{3} \times \dfrac{1}{3} \times 5 =$

⑤ $2\dfrac{2}{9} \times 6 \times \dfrac{1}{4} =$

⑥ $10 \times 5\dfrac{9}{16} \times \dfrac{2}{3} =$

⑦ $11 \times 5\dfrac{4}{33} \times \dfrac{4}{7} =$

 ○ 안의 세 수의 곱을 △ 안에 써넣으세요.

①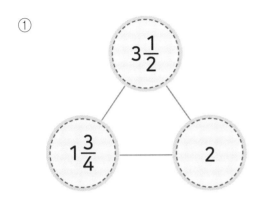

②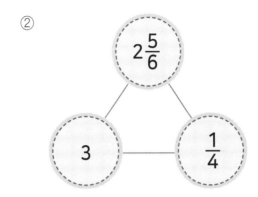

③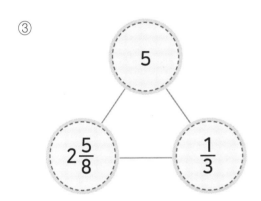

④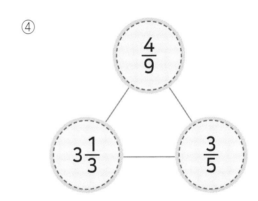

⑤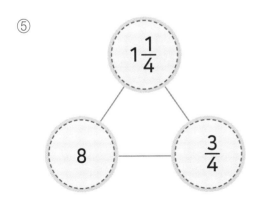

⑥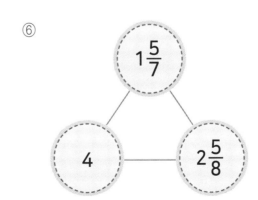

곱이 ◇ 안의 수가 되는 두 수에 ◯표 하세요.

$\dfrac{2}{3}$ $\dfrac{1}{2}$ 4 $1\dfrac{1}{3}$

25    $\dfrac{8}{15}$ 10 $2\dfrac{1}{2}$

3   5 $4\dfrac{1}{2}$ $\dfrac{2}{3}$

$1\dfrac{1}{11}$ 5 $1\dfrac{1}{3}$ $\dfrac{9}{11}$

$\dfrac{2}{9}$ $1\dfrac{1}{9}$ 2 $\dfrac{1}{5}$

18    $1\dfrac{1}{8}$ 16 $\dfrac{1}{24}$

$1\dfrac{2}{3}$ $2\dfrac{2}{3}$ $\dfrac{5}{8}$ 6

$1\dfrac{5}{7}$ $1\dfrac{2}{3}$ $\dfrac{6}{7}$ 2

10   6 $\dfrac{2}{9}$ $1\dfrac{2}{3}$

$2\dfrac{4}{5}$ 21 $\dfrac{2}{15}$ $1\dfrac{2}{7}$

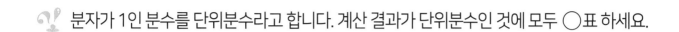

분자가 1인 분수를 단위분수라고 합니다. 계산 결과가 단위분수인 것에 모두 ○표 하세요.

$$1\frac{3}{8} \times \frac{1}{11} \times 2$$

$$1\frac{3}{4} \times \frac{3}{14} \times 4$$

$$2\frac{1}{9} \times \frac{3}{38} \times 2$$

$$3\frac{9}{10} \times \frac{2}{13} \times \frac{1}{9}$$

$$5\frac{3}{7} \times \frac{4}{19} \times \frac{3}{8}$$

$$6\frac{1}{4} \times \frac{2}{25} \times 4$$

$$2\frac{2}{9} \times \frac{1}{10} \times \frac{3}{4}$$

$$8\frac{3}{4} \times \frac{1}{7} \times \frac{2}{15}$$

Tip

약분을 해 보면 알 수 있습니다.

문제를 읽고 알맞은 식과 답을 써 보세요.

① $4\frac{2}{3}$ L 들이의 물통에서 $\frac{3}{5}$ 을 받고, 이 중 $\frac{2}{7}$ 만 마시고 남겨 두었습니다. 마신 물은 몇 L일까요?

식 : _____ 답 : _____L

② 주은이는 2주에 한 번씩 5000원의 용돈을 받습니다. 2주 전에 용돈을 받아서 첫 주에 $\frac{5}{8}$ 를 쓰고, 둘째 주에 남은 돈의 $\frac{1}{3}$ 을 썼다면 이번 용돈 중 남은 돈은 얼마일까요?

식 : _____ 답 : _____원

③ 바닥에 떨어뜨리면 튀어 오르는 높이가 떨어진 높이의 $\frac{3}{5}$ 이 되는 공이 있습니다. 이 공을 $3\frac{1}{3}$ m 높이에서 떨어뜨렸을 때 두 번째로 튀어 오르는 높이는 몇 m일까요?

식 : _____ 답 : _____m

④ 길이가 $4\frac{4}{5}$ m인 줄의 $\frac{5}{6}$ 를 잘라서 그 중 $\frac{3}{4}$ 에 노란색을 칠했습니다. 노란색으로 색칠된 줄의 길이는 몇 m일까요?

식 : _____ 답 : _____m

· **3**주차 ·

도전! 계산왕

분수의 곱셈

🖐 계산을 하세요.

① $\dfrac{5}{8} \times 4 =$

② $\dfrac{1}{6} \times 8 =$

③ $\dfrac{7}{9} \times \dfrac{5}{14} =$

④ $1\dfrac{3}{4} \times \dfrac{6}{7} =$

⑤ $2\dfrac{2}{3} \times 6 =$

⑥ $\dfrac{3}{5} \times \dfrac{1}{9} =$

⑦ $2\dfrac{1}{3} \times \dfrac{2}{7} \times \dfrac{3}{4} =$

⑧ $3 \times \dfrac{5}{6} \times \dfrac{1}{2} =$

⑨ $4\dfrac{1}{6} \times 8 \times \dfrac{4}{5} =$

⑩ $2\dfrac{3}{5} \times 10 \times \dfrac{3}{26} =$

분수의 곱셈

계산을 하세요.

① $\dfrac{1}{3} \times 6 =$

② $\dfrac{5}{6} \times 9 =$

③ $\dfrac{3}{8} \times \dfrac{4}{9} =$

④ $2\dfrac{1}{6} \times \dfrac{2}{13} =$

⑤ $2\dfrac{1}{4} \times 8 =$

⑥ $\dfrac{2}{7} \times \dfrac{14}{15} =$

⑦ $2\dfrac{1}{4} \times \dfrac{5}{6} \times \dfrac{2}{3} =$

⑧ $5 \times \dfrac{9}{10} \times \dfrac{2}{3} =$

⑨ $5\dfrac{5}{8} \times 4 \times \dfrac{4}{9} =$

⑩ $6\dfrac{3}{4} \times 5 \times \dfrac{8}{9} =$

분수의 곱셈

🐰 계산을 하세요.

① $\dfrac{5}{12} \times 8 =$

② $\dfrac{3}{10} \times 6 =$

③ $\dfrac{5}{6} \times \dfrac{3}{10} =$

④ $2\dfrac{2}{3} \times \dfrac{1}{4} =$

⑤ $3\dfrac{1}{8} \times 4 =$

⑥ $\dfrac{7}{9} \times \dfrac{8}{21} =$

⑦ $3\dfrac{3}{4} \times \dfrac{1}{5} \times \dfrac{5}{6} =$

⑧ $6 \times \dfrac{3}{8} \times \dfrac{2}{9} =$

⑨ $3\dfrac{1}{8} \times 4 \times \dfrac{3}{10} =$

⑩ $5\dfrac{5}{6} \times 3 \times \dfrac{9}{14} =$

분수의 곱셈

계산을 하세요.

① $\dfrac{4}{9} \times 3 =$

② $\dfrac{3}{4} \times 2 =$

③ $\dfrac{3}{8} \times \dfrac{8}{9} =$

④ $3\dfrac{1}{3} \times \dfrac{1}{4} =$

⑤ $4\dfrac{5}{6} \times 2 =$

⑥ $\dfrac{5}{8} \times \dfrac{4}{9} =$

⑦ $2\dfrac{7}{9} \times \dfrac{2}{5} \times \dfrac{3}{8} =$

⑧ $7 \times \dfrac{2}{9} \times \dfrac{5}{8} =$

⑨ $3\dfrac{3}{4} \times 2 \times \dfrac{3}{5} =$

⑩ $1\dfrac{5}{6} \times 4 \times \dfrac{9}{16} =$

분수의 곱셈

🍡 계산을 하세요.

① $\dfrac{4}{11} \times 3 =$

② $\dfrac{5}{6} \times 4 =$

③ $\dfrac{3}{7} \times \dfrac{5}{6} =$

④ $2\dfrac{5}{8} \times \dfrac{2}{7} =$

⑤ $2\dfrac{1}{3} \times 5 =$

⑥ $\dfrac{7}{10} \times \dfrac{5}{14} =$

⑦ $3\dfrac{1}{6} \times \dfrac{3}{19} \times \dfrac{5}{8} =$

⑧ $6 \times \dfrac{1}{2} \times \dfrac{2}{15} =$

⑨ $8\dfrac{3}{7} \times 3 \times \dfrac{7}{12} =$

⑩ $3\dfrac{2}{5} \times 5 \times \dfrac{1}{6} =$

분수의 곱셈

계산을 하세요.

① $\dfrac{1}{7} \times 14 =$

② $\dfrac{5}{8} \times 2 =$

③ $\dfrac{3}{4} \times \dfrac{4}{9} =$

④ $4\dfrac{2}{5} \times \dfrac{1}{11} =$

⑤ $3\dfrac{3}{8} \times 4 =$

⑥ $\dfrac{5}{9} \times \dfrac{7}{10} =$

⑦ $4\dfrac{2}{5} \times \dfrac{2}{11} \times \dfrac{3}{4} =$

⑧ $5 \times \dfrac{1}{4} \times \dfrac{7}{10} =$

⑨ $6\dfrac{1}{5} \times 8 \times \dfrac{5}{24} =$

⑩ $7\dfrac{5}{6} \times 9 \times \dfrac{5}{12} =$

분수의 곱셈

계산을 하세요.

① $\dfrac{5}{16} \times 4 =$

② $\dfrac{2}{3} \times 4 =$

③ $\dfrac{11}{12} \times \dfrac{3}{22} =$

④ $3\dfrac{1}{6} \times \dfrac{2}{7} =$

⑤ $4\dfrac{2}{9} \times 3 =$

⑥ $\dfrac{6}{7} \times \dfrac{5}{12} =$

⑦ $8\dfrac{2}{7} \times \dfrac{3}{29} \times \dfrac{1}{3} =$

⑧ $7 \times \dfrac{3}{4} \times \dfrac{1}{9} =$

⑨ $3\dfrac{1}{6} \times 8 \times \dfrac{7}{12} =$

⑩ $2\dfrac{5}{14} \times 5 \times \dfrac{3}{11} =$

4일 ❷

분수의 곱셈

🐰 계산을 하세요.

① $\dfrac{5}{18} \times 9 =$

② $\dfrac{1}{10} \times 35 =$

③ $\dfrac{4}{7} \times \dfrac{5}{6} =$

④ $3\dfrac{3}{8} \times \dfrac{1}{9} =$

⑤ $7\dfrac{1}{6} \times 4 =$

⑥ $\dfrac{5}{6} \times \dfrac{9}{10} =$

⑦ $8\dfrac{2}{3} \times \dfrac{2}{7} \times \dfrac{1}{4} =$

⑧ $3 \times \dfrac{4}{5} \times \dfrac{1}{12} =$

⑨ $9\dfrac{5}{6} \times 4 \times \dfrac{1}{6} =$

⑩ $3\dfrac{5}{7} \times 8 \times \dfrac{3}{4} =$

분수의 곱셈

🍋 계산을 하세요.

① $\dfrac{7}{10} \times 8 =$

② $\dfrac{2}{9} \times 6 =$

③ $\dfrac{3}{8} \times \dfrac{4}{15} =$

④ $3\dfrac{1}{2} \times \dfrac{1}{21} =$

⑤ $6\dfrac{2}{3} \times 2 =$

⑥ $\dfrac{2}{9} \times \dfrac{7}{8} =$

⑦ $7\dfrac{1}{3} \times \dfrac{3}{12} \times \dfrac{3}{8} =$

⑧ $9 \times \dfrac{1}{6} \times \dfrac{5}{8} =$

⑨ $8\dfrac{3}{4} \times 3 \times \dfrac{1}{5} =$

⑩ $4\dfrac{5}{8} \times 4 \times \dfrac{3}{4} =$

분수의 곱셈

🎈 계산을 하세요.

① $\dfrac{2}{15} \times 20 =$

② $\dfrac{3}{8} \times 12 =$

③ $\dfrac{4}{9} \times \dfrac{15}{16} =$

④ $4\dfrac{1}{5} \times \dfrac{3}{14} =$

⑤ $3\dfrac{5}{8} \times 3 =$

⑥ $\dfrac{3}{14} \times \dfrac{7}{9} =$

⑦ $2\dfrac{4}{5} \times \dfrac{3}{8} \times \dfrac{5}{6} =$

⑧ $7 \times \dfrac{3}{14} \times \dfrac{1}{3} =$

⑨ $4\dfrac{1}{3} \times 4 \times \dfrac{7}{8} =$

⑩ $3\dfrac{2}{5} \times 2 \times \dfrac{5}{9} =$

· **4**주차 ·
소수와 자연수의 곱셈

세로셈 계산 방법을 먼저 배운 후, 여러 가지 원리를 알아보면서 연습하도록 했습니다. 연습하는 문제는 학습한 원리를 이용하여 가로셈으로 풀어도 되지만 수가 커서 복잡한 경우는 세로셈으로 바꾸어 연습하도록 합니다.

동영상 해설

- 소수점이 없다고 생각하고 두 수를 곱하고 소수점 아래 숫자의 개수를 세어서 소수점을 찍으면 됩니다.

$$\begin{array}{r} 1\,6 \\ \times\ 0.0\,5 \\ \hline \end{array}$$ ➡ $$\begin{array}{r} 1\,6 \\ \times\ 0.0\,5 \\ \hline 8\,0 \end{array}$$ ➡ $$\begin{array}{r} 1\,6 \\ \times\ 0.0\,5 \\ \hline 0.8\,0 \end{array}$$ 소수점 아래 2자리

계산 값의 소수점 아래 끝이 0으로 끝나는 경우에는 0을 쓰지 않습니다.
0.80의 경우 소수점 아래 끝에 있는 0을 지우고 0.8로 표기합니다.

곱의 결과에 소수점을 찍어서 답을 완성하세요. 단, 필요하면 소수점 아래 끝의 0은 지우고, 계산 결과의 앞에 소수점과 0을 쓰세요.

① $$\begin{array}{r} 0.6\,2 \\ \times\quad\ 8 \\ \hline 4\,9\,6 \end{array}$$

② $$\begin{array}{r} 1\,6 \\ \times\ 0.0\,0\,8 \\ \hline 1\,2\,8 \end{array}$$

③ $$\begin{array}{r} 2\,9 \\ \times\ 0.4\,5 \\ \hline 1\,3\,0\,5 \end{array}$$

④ $$\begin{array}{r} 2.1\,5 \\ \times\quad 1\,5 \\ \hline 3\,2\,2\,5 \end{array}$$

⑤ $$\begin{array}{r} 3.1\,4 \\ \times\quad\ 6 \\ \hline 1\,8\,8\,4 \end{array}$$

⑥ $$\begin{array}{r} 3\,5\,9 \\ \times\quad 4.1 \\ \hline 1\,4\,7\,1\,9 \end{array}$$

⑦ $$\begin{array}{r} 7.1\,3 \\ \times\quad 2\,5 \\ \hline 1\,7\,8\,2\,5 \end{array}$$

⑧ $$\begin{array}{r} 6.3 \\ \times\ 6\,4 \\ \hline 4\,0\,3\,2 \end{array}$$

⑨ $$\begin{array}{r} 5 \\ \times\ 1.2\,3\,4 \\ \hline 6\,1\,7\,0 \end{array}$$

⑩ $$\begin{array}{r} 1\,0.1\,2 \\ \times\quad\ 2\,5 \\ \hline 2\,5\,3\,0\,0 \end{array}$$

⑪ $$\begin{array}{r} 4\,2.5 \\ \times\quad 9\,8 \\ \hline 4\,1\,6\,5\,0 \end{array}$$

💡 계산을 하세요.

①   3.5
   ×   6
_____

②   2.5
   ×   3
_____

③   8
   × 0.7 5
_____

④   0.2 4 5
   ×   6
_____

⑤   5
   × 2.4 7
_____

⑥   1.6 5
   ×   2
_____

⑦   7 2
   × 0.6 2
_____

⑧   2.9
   × 2 4
_____

⑨   3 6
   × 3.2
_____

계산을 하세요.

①
```
  2.9 4
×     4
───────
```

②
```
  0.4 8 9
×       6
─────────
```

③
```
  4.8 6
×     5
───────
```

④
```
  0.0 3
×   5 4
───────
```

⑤
```
  0.2 8
×   8 4
───────
```

⑥
```
  6.3
× 3 3
─────
```

⑦
```
  4.1 9
×   1 3
───────
```

⑧
```
  8.4 3
×   5 2
───────
```

⑨
```
  7.9 3
×   7 1
───────
```

단위 소수의 개수로 이해

동영상 해설

- 소수와 자연수의 곱셈은 0.1, 0.01의 개수로 생각하여 계산할 수 있습니다.

0.3 × 4 ➡ 0.1이 3개씩 4묶음 ➡ 3 × 4 = 12 ➡ 0.1이 12개

0.3 × 4 = 1.2

0.13 × 4 ➡ 0.01이 13개씩 4묶음 ➡ 13 × 4 = 52 ➡ 0.01이 52개

0.13 × 4 = 0.52

1.3 × 4 ➡ 0.1이 13개씩 4묶음 ➡ 13 × 4 = 52 ➡ 0.1이 52개

1.3 × 4 = 5.2

✏️ 빈칸을 채워 소수와 자연수의 곱셈을 계산하세요.

① 0.8 × 3

➡ 0.1이 ☐개씩 ☐묶음

➡ ☐ × ☐ = ☐

➡ 0.1이 ☐개

0.8 × 3 = ☐

② 0.13 × 7

➡ 0.01이 ☐개씩 ☐묶음

➡ ☐ × ☐ = ☐

➡ 0.01이 ☐개

0.13 × 7 = ☐

③ 2.6 × 4

➡ 0.1이 ☐개씩 ☐묶음

➡ ☐ × ☐ = ☐

➡ 0.1이 ☐개

2.6 × 4 = ☐

④ 1.18 × 3

➡ 0.01이 ☐개씩 ☐묶음

➡ ☐ × ☐ = ☐

➡ 0.01이 ☐개

1.18 × 3 = ☐

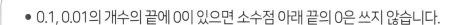

- 0.1, 0.01의 개수의 끝에 0이 있으면 소수점 아래 끝의 0은 쓰지 않습니다.

0.4 × 5 ➡ 0.1이 4개씩 5묶음 ➡ 4 × 5 = 20 ➡ 0.1이 20개

0.4 × 5 = 2

0.06 × 25 ➡ 0.01이 6개씩 25묶음 ➡ 6 × 25 = 150 ➡ 0.01이 150개

0.06 × 25 = 1.5

2.5 × 8 ➡ 0.1이 25개씩 8묶음 ➡ 25 × 8 = 200 ➡ 0.1이 200개

2.5 × 8 = 20

빈칸을 채워 소수와 자연수의 곱셈을 계산하세요.

① 0.6 × 5

➡ 0.1이 ☐ 개씩 ☐ 묶음

➡ ☐ × ☐ = ☐

➡ 0.1이 ☐ 개

0.6 × 5 = ☐

② 0.08 × 25

➡ 0.01이 ☐ 개씩 ☐ 묶음

➡ ☐ × ☐ = ☐

➡ 0.01이 ☐ 개

0.08 × 25 = ☐

③ 4.5 × 6

➡ 0.1이 ☐ 개씩 ☐ 묶음

➡ ☐ × ☐ = ☐

➡ 0.1이 ☐ 개

4.5 × 6 = ☐

④ 0.035 × 6

➡ 0.001이 ☐ 개씩 ☐ 묶음

➡ ☐ × ☐ = ☐

➡ 0.001이 ☐ 개

0.035 × 6 = ☐

계산을 하세요.

① $8 \times 0.8 =$

② $0.91 \times 9 =$

③ $5 \times 0.16 =$

④ $1.8 \times 5 =$

⑤ $4 \times 1.9 =$

⑥ $4.5 \times 2 =$

⑦ $0.04 \times 25 =$

⑧ $0.84 \times 5 =$

⑨ $0.87 \times 3 =$

⑩ $7 \times 0.03 =$

⑪ $16 \times 0.075 =$

⑫ $25 \times 0.37 =$

⑬ $0.48 \times 15 =$

⑭ $6.7 \times 173 =$

- 소수를 분수로 바꾸어 분수와 자연수의 곱셈으로 계산할 수 있습니다.

$$0.3 \times 4 = \frac{3}{10} \times 4 = \frac{12}{10} = 1.2$$

$$0.13 \times 4 = \frac{13}{100} \times 4 = \frac{52}{100} = 0.52$$

$$1.3 \times 4 = \frac{13}{10} \times 4 = \frac{52}{10} = 5.2$$

빈칸을 채워 소수와 자연수의 곱셈을 계산하세요.

① $0.02 \times 6 = \dfrac{\square}{\square} \times 6 = \dfrac{\square}{\square} = \square$

② $1.8 \times 4 = \dfrac{\square}{\square} \times 4 = \dfrac{\square}{\square} = \square$

③ $3 \times 0.54 = 3 \times \dfrac{\square}{\square} = \dfrac{\square}{\square} = \square$

④ $0.07 \times 12 = \dfrac{\square}{\square} \times 12 = \dfrac{\square}{\square} = \square$

⑤ $9 \times 0.012 = 9 \times \dfrac{\square}{\square} = \dfrac{\square}{\square} = \square$

• 계산 값의 소수점 아래의 끝이 0으로 끝나는 경우에는 0을 쓰지 않습니다.

$0.5 \times 6 = \dfrac{5}{10} \times 6 = \dfrac{30}{10} = 3.0 = 3$

$0.12 \times 5 = \dfrac{12}{100} \times 5 = \dfrac{60}{100} = 0.60 = 0.6$

$1.25 \times 2 = \dfrac{125}{100} \times 2 = \dfrac{250}{100} = 2.50 = 2.5$

빈칸을 채워 소수와 자연수의 곱셈을 계산하세요.

① $0.08 \times 5 = \dfrac{\square}{\square} \times 5 = \dfrac{\square}{\square} = \boxed{} = \boxed{}$

② $1.5 \times 6 = \dfrac{\square}{\square} \times 6 = \dfrac{\square}{\square} = \boxed{}$

③ $4 \times 0.65 = 4 \times \dfrac{\square}{\square} = \dfrac{\square}{\square} = \boxed{} = \boxed{}$

④ $1.05 \times 8 = \dfrac{\square}{\square} \times 8 = \dfrac{\square}{\square} = \boxed{} = \boxed{}$

⑤ $5 \times 0.078 = 5 \times \dfrac{\square}{\square} = \dfrac{\square}{\square} = \boxed{} = \boxed{}$

🐛 계산을 하세요.

① 4 × 0.6 =

② 24 × 0.8 =

③ 50 × 0.04 =

④ 7.12 × 5 =

⑤ 0.4 × 16 =

⑥ 0.07 × 14 =

⑦ 2.03 × 8 =

⑧ 1.1 × 13 =

⑨ 0.14 × 6 =

⑩ 10.4 × 15 =

⑪ 11 × 0.88 =

⑫ 0.85 × 14 =

⑬ 1.93 × 14 =

⑭ 8.34 × 21 =

자연수의 곱셈 이용하기

- 소수와 자연수의 곱셈에서 소수가 어떤 자연수의 $\frac{1}{10}$ 배, $\frac{1}{100}$ 배가 되면 계산 결과도 $\frac{1}{10}$ 배, $\frac{1}{100}$ 배가 됩니다.

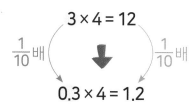

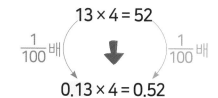

$$3 \times 4 = 12$$
$\frac{1}{10}$ 배 ⬇ $\frac{1}{10}$ 배
$$0.3 \times 4 = 1.2$$

$$13 \times 4 = 52$$
$\frac{1}{100}$ 배 ⬇ $\frac{1}{100}$ 배
$$0.13 \times 4 = 0.52$$

빈칸을 채워 소수와 자연수의 곱셈을 계산하세요.

① $4 \times 9 = \boxed{}$

$\boxed{}$ 배

$4 \times 0.9 = \boxed{}$

② $13 \times 5 = \boxed{}$

$\boxed{}$ 배

$0.13 \times 5 = \boxed{}$

③ $31 \times 8 = \boxed{}$

$\boxed{}$ 배

$3.1 \times 8 = \boxed{}$

④ $24 \times 6 = \boxed{}$

$\boxed{}$ 배

$24 \times 0.06 = \boxed{}$

⑤ $15 \times 15 = \boxed{}$

$\boxed{}$ 배

$15 \times 0.15 = \boxed{}$

⑥ $41 \times 14 = \boxed{}$

$\boxed{}$ 배

$4.1 \times 14 = \boxed{}$

두 자연수의 곱셈을 이용하여 소수와 자연수의 곱셈을 계산하세요.

① $7 \times 6 =$

    $0.7 \times 6 =$

② $4 \times 9 =$

    $4 \times 0.09 =$

③ $50 \times 3 =$

    $50 \times 0.03 =$

④ $8 \times 14 =$

    $8 \times 0.14 =$

⑤ $12 \times 13 =$

    $0.12 \times 13 =$

⑥ $16 \times 15 =$

    $16 \times 0.15 =$

⑦ $105 \times 9 =$

    $10.5 \times 9 =$

⑧ $31 \times 12 =$

    $31 \times 0.12 =$

⑨ $78 \times 16 =$

    $7.8 \times 16 =$

⑩ $116 \times 8 =$

    $11.6 \times 8 =$

계산을 하세요.

① $0.48 \times 8 =$

② $5 \times 0.27 =$

③ $53 \times 0.6 =$

④ $1.91 \times 5 =$

⑤ $4.06 \times 9 =$

⑥ $254 \times 0.8 =$

⑦ $6 \times 0.075 =$

⑧ $0.97 \times 9 =$

⑨ $0.07 \times 32 =$

⑩ $15 \times 0.08 =$

⑪ $0.95 \times 25 =$

⑫ $8.4 \times 37 =$

⑬ $87 \times 0.83 =$

⑭ $5.17 \times 23 =$

연산 퍼즐

두 자연수의 곱셈을 참고하여 소수와 자연수의 곱을 구하세요.

$92 \times 47 = 4324$　　$51 \times 84 = 4284$　　$93 \times 22 = 2046$

$65 \times 53 = 3445$　　$72 \times 13 = 936$　　$43 \times 88 = 3784$

$28 \times 73 = 2044$　　$81 \times 17 = 1377$　　$65 \times 73 = 4745$

① | 0.72 | 13 |

② | 51 | 8.4 |

③ | 65 | 0.073 |

④ | 92 | 0.47 |

⑤ | 0.43 | 88 |

⑥ | 0.081 | 17 |

⑦ | 0.93 | 22 |

⑧ | 0.065 | 53 |

⑨ | 28 | 7.3 |

주어진 숫자 카드를 빈칸에 넣어 곱이 가장 작은 두 곱셈식을 각각 만들고 곱을 구하세요.

① 2 3 4 5

☐.☐☐ × ☐ =
☐☐.☐ × ☐ =

② 4 5 6 9

☐.☐☐ × ☐ =
☐☐.☐ × ☐ =

③ 3 7 8 9

☐.☐☐ × ☐ =
☐☐.☐ × ☐ =

④ 2 3 5 6

☐.☐☐ × ☐ =
☐☐.☐ × ☐ =

⑤ 5 6 8 9

☐.☐☐ × ☐ =
☐☐.☐ × ☐ =

⑥ 2 3 7 8

☐.☐☐ × ☐ =
☐☐.☐ × ☐ =

⑦ 4 5 6 8

☐.☐☐ × ☐ =
☐☐.☐ × ☐ =

문제를 읽고 알맞은 식과 답을 써 보세요.

① 어느 굼벵이는 10분에 3.5 cm를 이동합니다. 이 굼벵이는 1시간 동안 몇 cm를 이동할까요?

식 : _____   답 : _____cm

② 승우네 집에서 학교까지의 거리는 0.21 km입니다. 승우가 15일 동안 학교를 왕복할 때 걷는 거리는 총 몇 km일까요?

식 : _____   답 : _____km

③ 인도에서 사용하는 돈의 단위를 루피라고 합니다. 1루피의 가치가 15.67원일 때 12루피는 몇 원과 같을까요?

식 : _____   답 : _____원

④ 한 변의 길이가 3.45 cm인 정구각형의 둘레의 길이는 몇 cm일까요?

식 : _____   답 : _____cm

• **5**주차 •
소수와 소수의 곱셈

소수와 자연수의 곱셈과 마찬가지로 세로셈 계산 방법을 먼저 익히고, 여러 가지 원리를 알아봅니다. 원리를 알아보며 풀게 되는 연습 문제는 가로셈이나 세로셈 중 편리한 방법을 사용합니다. 꾸준히 연습하면서 여러 가지 원리로 소수의 곱셈을 공부하도록 했습니다.

세로셈

- 소수점이 없다고 생각하고 두 수를 곱한 후, 소수점 아래 숫자의 개수를 더해서 소수점을 찍으면 됩니다.

$$
\begin{array}{r} 2.07 \\ \times\ 0.5 \\ \hline \end{array}
\quad\rightarrow\quad
\begin{array}{r} 207 \\ \times\ 0.5 \\ \hline 1035 \end{array}
\quad\rightarrow\quad
\begin{array}{r} 2.\boxed{07} \\ \times\ 0.\boxed{5} \\ \hline 1.\boxed{035} \end{array}
$$

→ 소수점 아래 2자리
→ 소수점 아래 1자리
→ 소수점 아래 3자리

🖐 곱의 결과에 소수점을 찍어서 답을 완성하세요. 단, 필요하면 소수점 아래 끝의 0은 지우고, 계산 결과의 앞에 소수점과 0을 쓰세요.

①
$$\begin{array}{r} 0.35 \\ \times\ \ 0.6 \\ \hline 210 \end{array}$$

②
$$\begin{array}{r} 1.2 \\ \times\ 1.4 \\ \hline 168 \end{array}$$

③
$$\begin{array}{r} 0.04 \\ \times\ 0.26 \\ \hline 104 \end{array}$$

④
$$\begin{array}{r} 13 \\ \times\ 0.82 \\ \hline 1066 \end{array}$$

⑤
$$\begin{array}{r} 0.52 \\ \times\ 0.11 \\ \hline 572 \end{array}$$

⑥
$$\begin{array}{r} 0.005 \\ \times\ \ \ 18 \\ \hline 90 \end{array}$$

⑦
$$\begin{array}{r} 0.9 \\ \times\ 1.9 \\ \hline 171 \end{array}$$

⑧
$$\begin{array}{r} 2.5 \\ \times\ 0.8 \\ \hline 200 \end{array}$$

⑨
$$\begin{array}{r} 0.125 \\ \times\ \ 2.36 \\ \hline 29500 \end{array}$$

⑩
$$\begin{array}{r} 32.7 \\ \times\ 0.34 \\ \hline 11118 \end{array}$$

⑪
$$\begin{array}{r} 2.6 \\ \times\ 30.4 \\ \hline 7904 \end{array}$$

계산을 하세요.

①
```
    0.7
×  0.6 2
```

②
```
    1.8
×   0.9
```

③
```
   0.8 8
×    0.4
```

④
```
   0.6 7 4
×        0.7
```

⑤
```
        0.5
×   0.9 8 4
```

⑥
```
   0.9 3 7
×        0.4
```

⑦
```
   0.3 8
×  0.5 4
```

⑧
```
   0.2 5
×  0.9 1
```

⑨
```
   0.1 5
×  0.1 6
```

🎈 계산을 하세요.

①   9.4 3
  ×   0.3
_____

②   0.3 8 4
  ×   0.6
_____

③   1 9.7
  ×   0.5
_____

④   5.7
  × 1.6
_____

⑤   0.2 8
  ×   4.3
_____

⑥   0.5 4
  ×   3.7
_____

⑦   8.4 6
  × 0.2 1
_____

⑧   7.7 3
  ×   1.3
_____

⑨   1 8.8
  × 0.3 5
_____

분수의 곱셈으로 이해

- 소수를 분수로 바꾸어 두 분수의 곱셈으로 계산할 수 있습니다.

동영상 해설

$$0.3 \times 0.4 = \frac{3}{10} \times \frac{4}{10} = \frac{12}{100} = 0.12$$

$$0.13 \times 0.4 = \frac{13}{100} \times \frac{4}{10} = \frac{52}{1000} = 0.052$$

$$1.3 \times 0.04 = \frac{13}{10} \times \frac{4}{100} = \frac{52}{1000} = 0.052$$

빈칸을 채워 소수와 소수의 곱셈을 계산하세요.

① $0.06 \times 0.3 = \dfrac{\Box}{\Box} \times \dfrac{\Box}{\Box} = \dfrac{\Box}{\Box} = \boxed{}$

② $3.5 \times 0.9 = \dfrac{\Box}{\Box} \times \dfrac{\Box}{\Box} = \dfrac{\Box}{\Box} = \boxed{}$

③ $0.08 \times 1.8 = \dfrac{\Box}{\Box} \times \dfrac{\Box}{\Box} = \dfrac{\Box}{\Box} = \boxed{}$

④ $0.7 \times 0.58 = \dfrac{\Box}{\Box} \times \dfrac{\Box}{\Box} = \dfrac{\Box}{\Box} = \boxed{}$

⑤ $0.16 \times 0.24 = \dfrac{\Box}{\Box} \times \dfrac{\Box}{\Box} = \dfrac{\Box}{\Box} = \boxed{}$

계산을 하세요.

① 0.9 × 0.8 =

② 1.6 × 0.7 =

③ 0.5 × 0.38 =

④ 3.6 × 0.3 =

⑤ 9.1 × 0.04 =

⑥ 0.012 × 0.5 =

⑦ 3.3 × 1.8 =

⑧ 16.4 × 0.8 =

⑨ 7.5 × 2.3 =

⑩ 5.2 × 0.63 =

⑪ 0.23 × 1.05 =

⑫ 0.61 × 1.04 =

🖐 계산을 하세요.

① $0.6 \times 0.05 =$

② $1.25 \times 0.4 =$

③ $0.8 \times 0.03 =$

④ $0.3 \times 1.5 =$

⑤ $1.8 \times 0.2 =$

⑥ $9.5 \times 0.6 =$

⑦ $8.3 \times 0.5 =$

⑧ $0.5 \times 2.24 =$

⑨ $3.2 \times 5.6 =$

⑩ $0.45 \times 1.8 =$

⑪ $1.07 \times 2.5 =$

⑫ $5.4 \times 1.42 =$

곱의 소수점의 위치

동영상 해설

- 10, 100, 1000을 소수에 곱하면 소수점이 오른쪽으로 한 칸씩,
  0.1, 0.01, 0.001을 소수나 자연수에 곱하면 왼쪽으로 한 칸씩 이동합니다.

$5.45 \times 10 = \dfrac{545}{100} \times 10 = 54.5$ $72 \times 0.1 = 72 \times \dfrac{1}{10} = 7.2$

$5.45 \times 100 = \dfrac{545}{100} \times 100 = 545$ $72 \times 0.01 = 72 \times \dfrac{1}{100} = 0.72$

$5.45 \times 1000 = \dfrac{545}{100} \times 1000 = 5450$ $72 \times 0.001 = 72 \times \dfrac{1}{1000} = 0.072$

계산을 하세요.

① $0.345 \times 10 =$

② $235 \times 0.1 =$

③ $0.345 \times 100 =$

④ $235 \times 0.01 =$

⑤ $0.345 \times 1000 =$

⑥ $235 \times 0.001 =$

● 곱하는 두 소수의 소수점 아래 숫자의 개수의 합과 곱의 소수점 아래 숫자의 개수가 같습니다.

$3 \times 4 = 12$

$0.3 \times 0.4 = \dfrac{3}{10} \times \dfrac{4}{10} = \dfrac{12}{100} = 0.12$

$0.03 \times 0.4 = \dfrac{3}{100} \times \dfrac{4}{10} = \dfrac{12}{1000} = 0.012$

$0.03 \times 0.04 = \dfrac{3}{100} \times \dfrac{4}{100} = \dfrac{12}{10000} = 0.0012$

두 자연수의 곱셈을 이용하여 두 소수의 곱셈을 계산하세요.

① $9 \times 7 =$

$0.9 \times 0.7 =$

$0.9 \times 0.007 =$

② $12 \times 6 =$

$1.2 \times 0.06 =$

$0.12 \times 0.06 =$

③ $13 \times 25 =$

$0.13 \times 0.25 =$

$0.013 \times 0.25 =$

④ $103 \times 19 =$

$1.03 \times 0.19 =$

$10.3 \times 0.19 =$

두 자연수의 곱셈을 참고하여 두 소수의 곱을 구하세요.

$46 \times 65 = 2990$ $14 \times 24 = 336$ $87 \times 96 = 8352$

$25 \times 15 = 375$ $63 \times 97 = 6111$ $28 \times 53 = 1484$

$77 \times 49 = 3773$ $34 \times 79 = 2686$ $48 \times 85 = 4080$

① | 0.63 | 9.7 |

② | 0.087 | 9.6 |

③ | 7.7 | 0.49 |

④ | 2.8 | 0.053 |

⑤ | 0.34 | 0.79 |

⑥ | 4.6 | 0.65 |

⑦ | 0.014 | 0.24 |

⑧ | 4.8 | 0.085 |

⑨ | 0.25 | 0.15 |

세 소수의 곱셈

● 세 소수를 곱할 때도 두 소수를 곱할 때와 같이 세 소수의 소수점 아래 숫자의 개수의 합과 곱의 소수점 아래 숫자의 개수가 같습니다.

$$1.2 \times 0.6 \times 0.13 = \frac{12}{10} \times \frac{6}{10} \times \frac{13}{100} = \frac{12 \times 6 \times 13}{10 \times 10 \times 100} = \frac{936}{10000} = 0.0936$$

세 소수의 곱셈을 계산하세요.

① $0.3 \times 2.2 \times 4.6 =$

② $2.1 \times 5.7 \times 0.6 =$

③ $1.8 \times 2.6 \times 1.1 =$

④ $0.03 \times 0.29 \times 0.8 =$

- 곱셈은 순서를 바꾸어도 계산 결과가 같으므로 편리한 순서대로 계산할 수 있습니다. 특히 끝 자리의 숫자가 5와 짝수로 끝나는 숫자가 있다면 먼저 계산하는 것이 편리합니다.

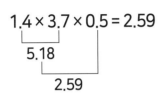

$1.4 \times 3.7 \times 0.5 = 2.59$

5.18

2.59

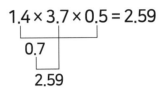

$1.4 \times 3.7 \times 0.5 = 2.59$

0.7

2.59

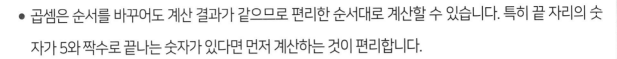 끝 자리가 5와 짝수로 끝나는 수를 먼저 곱해서 세 소수의 곱셈을 계산하세요.

① $0.08 \times 9.7 \times 1.5 =$

② $4.3 \times 2.6 \times 0.15 =$

③ $6.1 \times 5.2 \times 0.05 =$

④ $1.5 \times 4.7 \times 4.4 =$

계산을 하세요.

① $0.7 \times 1.4 \times 0.09 =$

② $1.5 \times 2.7 \times 1.8 =$

③ $0.4 \times 1.6 \times 2.4 =$

④ $5.2 \times 0.6 \times 2.5 =$

⑤ $3.7 \times 0.25 \times 6.6 =$

⑥ $9.4 \times 0.03 \times 2.2 =$

⑦ $0.5 \times 1.3 \times 1.64 =$

⑧ $72.5 \times 0.6 \times 0.8 =$

직사각형의 넓이를 구하세요.

①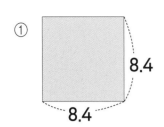
8.4
8.4

②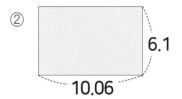
6.1
10.06

③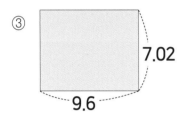
7.02
9.6

④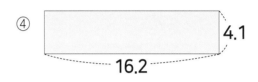
4.1
16.2

⑤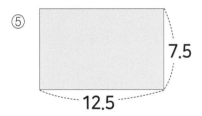
7.5
12.5

⑥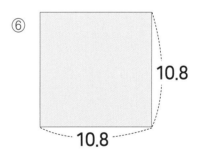
10.8
10.8

⑦
4.6
12.9

⑧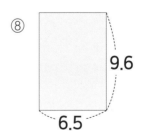
9.6
6.5

두 소수의 곱의 크기를 비교하여 >, =, < 를 알맞게 써넣으세요.

① 0.86 × 0.4 〇 1.7 × 0.25

② 1.42 × 0.9 〇 2.21 × 0.72

③ 4.8 × 2.84 〇 3.6 × 3.12

④ 1.6 × 1.2 〇 7.68 × 0.25

⑤ 9.43 × 0.7 〇 8.18 × 0.91

⑥ 1.24 × 3.46 〇 2.432 × 1.7

⑦ 3.19 × 5.44 〇 2.8 × 6.16

🐤 문제를 읽고 알맞은 식과 답을 써 보세요.

① 가로 1.5 m, 세로 0.8 m인 직사각형의 넓이는 몇 m²일까요?

식 : _____   답 : _____ m²

② 소리는 1초에 0.34 km를 갑니다. 번개를 보고 6.3초 후에 천둥소리를 들었다면, 번개가 친 곳은 몇 km 떨어져 있을까요?

식 : _____   답 : _____ km

③ 학교에서 인성이네 집까지는 1.6 km이고, 학교에서 주은이네 집까지는 학교에서 인성이네 집까지의 거리의 1.9배입니다. 학교에서 주은이네 집까지의 거리는 몇 km일까요?

식 : _____   답 : _____ km

④ 준우가 태어날 때 몸무게는 2.94 kg이었습니다. 2년이 지나서 몸무게를 재었더니 태어날 때의 5.3배라면 준우의 몸무게는 몇 kg일까요?

식 : _____   답 : _____ kg

· **6**주차 ·

도전! 계산왕

소수의 곱셈

공부한 날 | 월 일
점수 | / 12

🎯 계산을 하세요.

①
$$\begin{array}{r} 0.5 \\ \times \quad 3 \\ \hline \end{array}$$

②
$$\begin{array}{r} 1.6 \\ \times \quad 0.8 \\ \hline \end{array}$$

③
$$\begin{array}{r} 0.7 \\ \times \quad 2.1 \\ \hline \end{array}$$

④
$$\begin{array}{r} 9.43 \\ \times \quad 7 \\ \hline \end{array}$$

⑤
$$\begin{array}{r} 0.87 \\ \times \quad 2.1 \\ \hline \end{array}$$

⑥
$$\begin{array}{r} 2.79 \\ \times \quad 3.1 \\ \hline \end{array}$$

⑦
$$\begin{array}{r} 0.7 \\ \times \quad 0.9 \\ \hline \end{array}$$

⑧
$$\begin{array}{r} 2.8 \\ \times \quad 0.4 \\ \hline \end{array}$$

⑨
$$\begin{array}{r} 9 \\ \times \quad 4.6 \\ \hline \end{array}$$

⑩
$$\begin{array}{r} 0.873 \\ \times \quad 5 \\ \hline \end{array}$$

⑪
$$\begin{array}{r} 2.4 \\ \times \quad 5.8 \\ \hline \end{array}$$

⑫
$$\begin{array}{r} 1.63 \\ \times \quad 9.4 \\ \hline \end{array}$$

소수의 곱셈

계산을 하세요.

①
$$\begin{array}{r} 0.7 \\ \times \quad 2 \\ \hline \end{array}$$

②
$$\begin{array}{r} 2.4 \\ \times \quad 0.9 \\ \hline \end{array}$$

③
$$\begin{array}{r} 0.5 \\ \times \quad 3.2 \\ \hline \end{array}$$

④
$$\begin{array}{r} 8.2\ 4 \\ \times \quad 3 \\ \hline \end{array}$$

⑤
$$\begin{array}{r} 0.6\ 3 \\ \times \quad 5.4 \\ \hline \end{array}$$

⑥
$$\begin{array}{r} 4.8 \\ \times\ 3\ 5.4 \\ \hline \end{array}$$

⑦
$$\begin{array}{r} 0.9 \\ \times \quad 0.9 \\ \hline \end{array}$$

⑧
$$\begin{array}{r} 3.7 \\ \times \quad 0.7 \\ \hline \end{array}$$

⑨
$$\begin{array}{r} 8 \\ \times \quad 3.1 \\ \hline \end{array}$$

⑩
$$\begin{array}{r} 0.6\ 7\ 5 \\ \times \quad 3 \\ \hline \end{array}$$

⑪
$$\begin{array}{r} 2.7 \\ \times \quad 9.8 \\ \hline \end{array}$$

⑫
$$\begin{array}{r} 4.3\ 1 \\ \times\ 1.1\ 1 \\ \hline \end{array}$$

2일 ❶

소수의 곱셈

🧮 계산을 하세요.

① $\begin{array}{r} 0.6 \\ \times \quad 8 \\ \hline \end{array}$

② $\begin{array}{r} 3.8 \\ \times \quad 0.7 \\ \hline \end{array}$

③ $\begin{array}{r} 0.4 \\ \times \quad 3.6 \\ \hline \end{array}$

④ $\begin{array}{r} 6.4\,4 \\ \times \quad 8 \\ \hline \end{array}$

⑤ $\begin{array}{r} 0.4\,4 \\ \times \quad 3.9 \\ \hline \end{array}$

⑥ $\begin{array}{r} 1.8\,7 \\ \times \quad 5.1 \\ \hline \end{array}$

⑦ $\begin{array}{r} 0.6 \\ \times \quad 0.2 \\ \hline \end{array}$

⑧ $\begin{array}{r} 4.1 \\ \times \quad 0.9 \\ \hline \end{array}$

⑨ $\begin{array}{r} 6 \\ \times \quad 3.7 \\ \hline \end{array}$

⑩ $\begin{array}{r} 0.7\,7\,3 \\ \times \quad 6 \\ \hline \end{array}$

⑪ $\begin{array}{r} 5.8 \\ \times \quad 3.1 \\ \hline \end{array}$

⑫ $\begin{array}{r} 5.8\,7 \\ \times \quad 9.1 \\ \hline \end{array}$

소수의 곱셈

🔔 계산을 하세요.

①
$$\begin{array}{r} 0.9 \\ \times \quad 9 \\ \hline \end{array}$$

②
$$\begin{array}{r} 1.1 \\ \times \quad 0.8 \\ \hline \end{array}$$

③
$$\begin{array}{r} 0.2 \\ \times \quad 9.9 \\ \hline \end{array}$$

④
$$\begin{array}{r} 8.1\,2 \\ \times \quad 9 \\ \hline \end{array}$$

⑤
$$\begin{array}{r} 6.3 \\ \times \quad 2.6 \\ \hline \end{array}$$

⑥
$$\begin{array}{r} 7.1\,3 \\ \times \quad 5.4 \\ \hline \end{array}$$

⑦
$$\begin{array}{r} 0.9 \\ \times \quad 0.3 \\ \hline \end{array}$$

⑧
$$\begin{array}{r} 8.9 \\ \times \quad 0.7 \\ \hline \end{array}$$

⑨
$$\begin{array}{r} 5 \\ \times \quad 3.2 \\ \hline \end{array}$$

⑩
$$\begin{array}{r} 0.9\,3\,3 \\ \times \quad 4 \\ \hline \end{array}$$

⑪
$$\begin{array}{r} 3.8 \\ \times \quad 9.4 \\ \hline \end{array}$$

⑫
$$\begin{array}{r} 6.1\,1 \\ \times \quad 5.7 \\ \hline \end{array}$$

3일 ❶ 소수의 곱셈

✏️ 계산을 하세요.

①
$$\begin{array}{r} 0.5 \\ \times\ 0.5 \\ \hline \end{array}$$

②
$$\begin{array}{r} 9.4 \\ \times\ 2.7 \\ \hline \end{array}$$

③
$$\begin{array}{r} 2 \\ \times\ 7.4 \\ \hline \end{array}$$

④
$$\begin{array}{r} 0.648 \\ \times\ \ \ \ 6 \\ \hline \end{array}$$

⑤
$$\begin{array}{r} 3.8 \\ \times\ 4.9 \\ \hline \end{array}$$

⑥
$$\begin{array}{r} 1.55 \\ \times\ \ 8.3 \\ \hline \end{array}$$

⑦
$$\begin{array}{r} 0.2 \\ \times\ \ \ 3 \\ \hline \end{array}$$

⑧
$$\begin{array}{r} 3.7 \\ \times\ 0.6 \\ \hline \end{array}$$

⑨
$$\begin{array}{r} 0.6 \\ \times\ 5.5 \\ \hline \end{array}$$

⑩
$$\begin{array}{r} 4.66 \\ \times\ \ 4.2 \\ \hline \end{array}$$

⑪
$$\begin{array}{r} 0.31 \\ \times\ \ 8.4 \\ \hline \end{array}$$

⑫
$$\begin{array}{r} 4.73 \\ \times\ \ 5.6 \\ \hline \end{array}$$

소수의 곱셈

계산을 하세요.

①
$$\begin{array}{r} 6.4 \\ \times\ \ 0.7 \\ \hline \end{array}$$

②
$$\begin{array}{r} 0.9 \\ \times\ \ 3.3 \\ \hline \end{array}$$

③
$$\begin{array}{r} 0.7 \\ \times\ \ 7 \\ \hline \end{array}$$

④
$$\begin{array}{r} 0.9\,4 \\ \times\ \ 3.3 \\ \hline \end{array}$$

⑤
$$\begin{array}{r} 8.3\,1 \\ \times\ \ 8.5 \\ \hline \end{array}$$

⑥
$$\begin{array}{r} 8.4\,4 \\ \times\ \ 3.7 \\ \hline \end{array}$$

⑦
$$\begin{array}{r} 6.6 \\ \times\ \ 0.3 \\ \hline \end{array}$$

⑧
$$\begin{array}{r} 7 \\ \times\ \ 2.3 \\ \hline \end{array}$$

⑨
$$\begin{array}{r} 0.8 \\ \times\ \ 0.9 \\ \hline \end{array}$$

⑩
$$\begin{array}{r} 5.4 \\ \times\ \ 9.7 \\ \hline \end{array}$$

⑪
$$\begin{array}{r} 2.6\,3 \\ \times\ \ 2.5 \\ \hline \end{array}$$

⑫
$$\begin{array}{r} 0.7\,7\,7 \\ \times\ \ 3 \\ \hline \end{array}$$

4일 ❶

소수의 곱셈

🖐 계산을 하세요.

①
```
    0.8
×     4
```

②
```
    8.4
×   2.1
```

③
```
    0.7
×   2.9
```

④
```
    0.5
×   0.3
```

⑤
```
    4.8
×   0.7
```

⑥
```
      2
×   9.7
```

⑦
```
  0.9 4 2
×       4
```

⑧
```
    3.1
×   5.5
```

⑨
```
  4.9 3
×   3.7
```

⑩
```
  1.3 3
×     8
```

⑪
```
  0.4 3
×   8.3
```

⑫
```
  4.8 5
×   5.6
```

4일 ❷

소수의 곱셈

계산을 하세요.

①   0.7
   ×   6
_____

②   2.4
   ×   0.5
_____

③   0.6
   ×   6.3
_____

④   4.6 3
   ×   8
_____

⑤   0.6 6
   ×   8.4
_____

⑥   7.4 4
   ×   5.7
_____

⑦   0.6
   ×   0.3
_____

⑧   8.4
   ×   0.7
_____

⑨   8
   ×   5.3
_____

⑩   0.3 3 4
   ×   8
_____

⑪   5.4
   ×   9.7
_____

⑫   2.8 8
   ×   6.7
_____

5일 ❶

소수의 곱셈

계산을 하세요.

①
$$\begin{array}{r} 5.1 \\ \times\ 0.7 \\ \hline \end{array}$$

②
$$\begin{array}{r} 0.4 \\ \times\ 9 \\ \hline \end{array}$$

③
$$\begin{array}{r} 0.6 \\ \times\ 4.7 \\ \hline \end{array}$$

④
$$\begin{array}{r} 0.4\ 1 \\ \times\ 3.5 \\ \hline \end{array}$$

⑤
$$\begin{array}{r} 8.4\ 2 \\ \times\ 9 \\ \hline \end{array}$$

⑥
$$\begin{array}{r} 1.9\ 5 \\ \times\ 1.5 \\ \hline \end{array}$$

⑦
$$\begin{array}{r} 8.4 \\ \times\ 0.2 \\ \hline \end{array}$$

⑧
$$\begin{array}{r} 0.5 \\ \times\ 0.2 \\ \hline \end{array}$$

⑨
$$\begin{array}{r} 7 \\ \times\ 9.9 \\ \hline \end{array}$$

⑩
$$\begin{array}{r} 8.2 \\ \times\ 3.1 \\ \hline \end{array}$$

⑪
$$\begin{array}{r} 0.4\ 1\ 4 \\ \times\ 9 \\ \hline \end{array}$$

⑫
$$\begin{array}{r} 2.5\ 8 \\ \times\ 6.7 \\ \hline \end{array}$$

소수의 곱셈

🖐 계산을 하세요.

①
```
    0.2
×     2
```

②
```
    0.2
×   9.8
```

③
```
    7.4
×   0.7
```

④
```
   6.4 4
×      5
```

⑤
```
   5.3 3
×    2.1
```

⑥
```
   0.7 2
×    3.4
```

⑦
```
    0.8
×   0.4
```

⑧
```
      8
×   5.9
```

⑨
```
    3.1
×   0.7
```

⑩
```
   0.3 1 2
×        8
```

⑪
```
   1.8 7
×    5.5
```

⑫
```
    2.2
×   2.1
```

11 약분을 해서 빈칸을 채우고 곱셈을 계산하세요.

① $\dfrac{4}{9} \times \dfrac{6}{5} = \square$

② $\dfrac{6}{7} \times \dfrac{4}{15} = \square$

12 곱이 가장 크도록 세 분수 중두 분수를 골라 곱하세요.

①

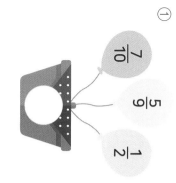

$\dfrac{7}{10}$ $\dfrac{5}{9}$ $\dfrac{1}{2}$

②

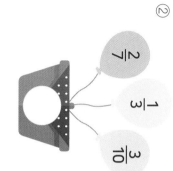

$\dfrac{2}{7}$ $\dfrac{1}{3}$ $\dfrac{3}{10}$

$\dfrac{8}{9} \times \dfrac{3}{20} =$

13 빈칸을 채워 분수의 곱셈을 계산하세요.

① $6\dfrac{3}{5} \times 1\dfrac{3}{11} = \dfrac{\square}{\square} \times \dfrac{\square}{\square} = \dfrac{\square}{\square}$

② $1\dfrac{3}{20} \times 5\dfrac{5}{7} = \dfrac{\square}{\square} \times \dfrac{\square}{\square} = \dfrac{\square}{\square}$

14 분수의 곱셈을 계산하세요.

① $\dfrac{2}{9} \times \dfrac{5}{8} =$

② $\dfrac{16}{7} \times \dfrac{21}{64} =$

③ $\dfrac{4}{11} \times 7\dfrac{1}{3} =$

④ $\dfrac{15}{8} \times \dfrac{16}{5} =$

15 분수의 곱셈을 계산하세요.

① $\dfrac{5}{14} \times \dfrac{6}{5} \times \dfrac{4}{15} =$

② $\dfrac{25}{9} \times \dfrac{12}{11} \times \dfrac{27}{25} =$

③ $\dfrac{7}{15} \times 4\dfrac{2}{7} \times 5\dfrac{1}{3} =$

16 빈칸을 채워 소수와 자연수의 곱셈을 계산하세요.

① $3 \times 7 = \square$ ⟶ 배

$3 \times 0.7 = \square$

② $19 \times 4 = \square$ ⟶ 배

$0.19 \times 4 = \square$

17 소수의 곱셈을 계산하세요.

① $4 \times 1.2 =$

② $0.42 \times 6 =$

③ $5 \times 0.44 =$

④ $1.8 \times 4 =$

18 빈칸을 채워 소수의 곱셈을 계산하세요.

① $0.26 \times 0.3 = \dfrac{\square}{\square} \times \dfrac{\square}{\square} = \dfrac{\square}{\square} =$

② $3.1 \times 2.45 = \dfrac{\square}{\square} \times \dfrac{\square}{\square} = \dfrac{\square}{\square} =$

19 소수의 곱셈을 계산하세요.

①
$$\begin{array}{r} 1.5 \\ \times\ \ \ 7 \\ \hline \end{array}$$

②
$$\begin{array}{r} 2\ 1.6 \\ \times\ \ 1.5 \\ \hline \end{array}$$

③
$$\begin{array}{r} 2.1\ 6 \\ \times\ \ 3.5 \\ \hline \end{array}$$

20 소수의 곱셈을 계산하세요.

① $1.6 \times 2.5 \times 0.7 =$

② $2.5 \times 2.4 \times 5.3 =$

③ $0.25 \times 9 \times 4.5 =$

4권 분수와 소수의 곱셈

총괄 테스트

이름 _____ 점수 _____

01 약분을 해서 빈칸을 채우고 곱셈을 계산하세요.

① $\dfrac{5}{6} \times \dfrac{3}{9} =$ □

② $\dfrac{4}{5} \times \dfrac{7}{12} =$ □

③ $\dfrac{4}{9} \times \dfrac{3}{16} =$ □

02 곱이 가장 크도록 세 분수 중 두 분수를 골라 곱하세요.

① 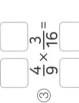 $\dfrac{4}{7} \quad \dfrac{3}{8} \quad \dfrac{1}{4}$

②  $\dfrac{1}{6} \quad \dfrac{1}{4} \quad \dfrac{4}{15}$

03 빈칸을 채워 분수의 곱셈을 계산하세요.

① $8\dfrac{4}{9} \times 5\dfrac{3}{4} = \dfrac{□}{□} \times \dfrac{□}{□} =$ □

② $7\dfrac{3}{10} \times 3\dfrac{3}{4} = \dfrac{□}{□} \times \dfrac{□}{□} =$ □

04 분수의 곱셈을 계산하세요.

① $\dfrac{6}{7} \times \dfrac{8}{9} =$

② $\dfrac{20}{9} \times \dfrac{5}{12} =$

③ $\dfrac{9}{14} \times 4\dfrac{3}{8} =$

④ $\dfrac{16}{9} \times \dfrac{21}{20} =$

05 분수의 곱셈을 계산하세요.

① $\dfrac{7}{10} \times \dfrac{4}{7} \times \dfrac{5}{12} =$

② $\dfrac{16}{3} \times \dfrac{9}{20} \times \dfrac{7}{15} =$

③ $\dfrac{9}{20} \times 6\dfrac{2}{3} \times 2\dfrac{6}{7}$

06 빈칸을 채워 소수와 자연수의 곱셈을 계산하세요.

① 0.23×4 → 0.01이 □ 개씩 □ 묶음 = 0.01이 □ 개 → $0.23 \times 4 =$ □

② 1.4×7 → 0.1이 □ 개씩 □ 묶음 = 0.1이 □ 개 → $1.4 \times 7 =$ □

07 소수의 곱셈을 계산하세요.

① $9 \times 0.9 =$

② $0.93 \times 5 =$

③ $4 \times 0.24 =$

④ $1.6 \times 4 =$

08 빈칸을 채워 소수의 곱셈을 계산하세요.

① $0.16 \times 0.4 = \dfrac{□}{□} \times \dfrac{□}{□} = \dfrac{□}{□} =$ □

② $2.4 \times 1.41 = \dfrac{□}{□} \times \dfrac{□}{□} = \dfrac{□}{□} =$ □

09 소수의 곱셈을 계산하세요.

① $\begin{array}{r} 0.5 \\ \times \quad 4 \\ \hline \end{array}$

② $\begin{array}{r} 1\,1.6 \\ \times \quad 0.8 \\ \hline \end{array}$

③ $\begin{array}{r} 3.2\,5 \\ \times \quad 2.4 \\ \hline \end{array}$

10 소수의 곱셈을 계산하세요.

① $0.6 \times 1.5 \times 0.8 =$

② $2.7 \times 3.2 \times 3.25 =$

③ $0.75 \times 3 \times 1.6 =$

우리 아이 첫 수학은
유자수 가 답이다

보드마카와
붙임 딱지로
즐겁게

내 아이에게
딱 맞는
엄마표 문제

재미있게
스스로
반복학습

방송에서 **화제가 된 바로** 그 교재!

생각과 자신감이 커지는 유아 자신감 수학!

방송 영상

유자수 소개 영상

실력도 탑! 재미도 탑!
사고력 수학의 으뜸!
TOP 사고력 수학

6~7세   7~8세   초1~2학년   초2~3학년

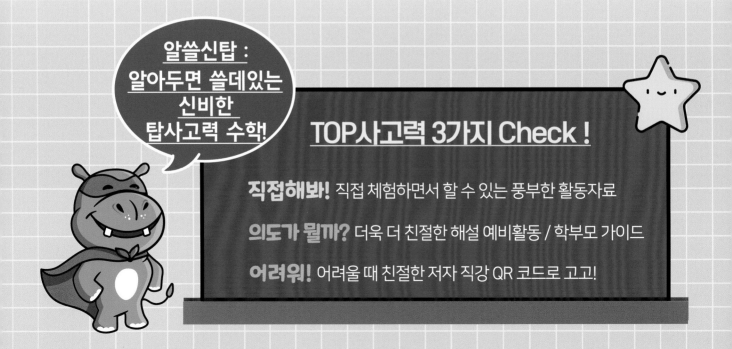

초등 | 수학 전문가가 만든 연산 교재

원리셈

천종현 지음

정답

5학년 4

분수와 소수의 곱셈

천종현수학연구소

10쪽

① $\dfrac{1}{6}$　② $\dfrac{2}{15}$

③ $\dfrac{3}{10}$　④ $\dfrac{4}{9}$

11쪽

① $3\dfrac{11}{15}$　② $1\dfrac{5}{9}$

12쪽

① $\dfrac{3}{20}$　② $\dfrac{12}{35}$

③ $\dfrac{5}{24}$　④ $\dfrac{14}{27}$

⑤ $\dfrac{1}{20}$　⑥ $\dfrac{3}{80}$

⑦ $5\dfrac{4}{9}$　⑧ $3\dfrac{3}{20}$

⑨ $5\dfrac{17}{35}$　⑩ $10\dfrac{17}{20}$

⑪ $4\dfrac{5}{28}$　⑫ $9\dfrac{7}{18}$

13쪽

① $\dfrac{5}{18}$　② $\dfrac{7}{12}$　③ $\dfrac{2}{5}$

④ $\dfrac{5}{8}$　⑤ $\dfrac{1}{2}$　⑥ $\dfrac{1}{9}$

⑦ $\dfrac{1}{6}$　⑧ $\dfrac{2}{75}$　⑨ $\dfrac{2}{7}$

⑩ $\dfrac{1}{15}$　⑪ $\dfrac{2}{3}$　⑫ $\dfrac{3}{10}$

14쪽

① $\dfrac{1}{54}$　② $\dfrac{1}{40}$　③ $\dfrac{6}{49}$

④ $\dfrac{1}{20}$　⑤ $\dfrac{5}{33}$　⑥ $\dfrac{7}{8}$

⑦ $\dfrac{5}{14}$　⑧ $2\dfrac{1}{4}$　⑨ $2\dfrac{1}{4}$

⑩ $2\dfrac{4}{7}$　⑪ 10　⑫ 14

⑬ $1\dfrac{5}{6}$　⑭ $3\dfrac{3}{5}$　⑮ $\dfrac{7}{16}$

⑯ $\dfrac{8}{45}$　⑰ $\dfrac{1}{4}$　⑱ $\dfrac{9}{25}$

15쪽

① $\dfrac{1}{6}$　② $\dfrac{1}{6}$

② $\dfrac{1}{6}$　④ $\dfrac{3}{7}$

③ $\dfrac{14}{15}$　⑥ $\dfrac{13}{22}$

16쪽

① $\dfrac{3}{4}$　② $\dfrac{7}{8}$

③ $\dfrac{1}{2}$　④ $\dfrac{1}{2}$

⑤ $\dfrac{8}{5}, 1\dfrac{3}{5}$　⑥ $\dfrac{25}{4}, 6\dfrac{1}{4}$

⑦ $\dfrac{5}{3}, 1\dfrac{2}{3}$　⑧ $\dfrac{16}{5}, 3\dfrac{1}{5}$

⑨ $\dfrac{9}{2}, 4\dfrac{1}{2}$　⑩ $\dfrac{27}{2}, 13\dfrac{1}{2}$

17쪽

① $1\dfrac{3}{4}$　② $\dfrac{2}{5}$

③ $\dfrac{1}{2}$　④ 4

⑤ 8　⑥ $6\dfrac{1}{4}$

⑦ 9　⑧ $3\dfrac{1}{5}$

⑨ $5\dfrac{5}{6}$　⑩ $1\dfrac{1}{6}$

18쪽

① $2\dfrac{1}{2}$　② $3\dfrac{1}{2}$　③ $2\dfrac{1}{4}$

④ $2\dfrac{1}{2}$　⑤ $2\dfrac{4}{7}$　⑥ $1\dfrac{1}{2}$

⑦ 1　⑧ $4\dfrac{1}{2}$　⑨ $3\dfrac{3}{4}$

⑩ $3\dfrac{1}{2}$　⑪ $4\dfrac{1}{2}$　⑫ $5\dfrac{1}{3}$

⑬ $8\dfrac{1}{3}$　⑭ $4\dfrac{1}{2}$　⑮ $3\dfrac{1}{2}$

⑯ $2\dfrac{4}{5}$　⑰ $4\dfrac{4}{5}$　⑱ $8\dfrac{1}{8}$

① $\dfrac{2}{5}$　④ $\dfrac{27}{104}$

② $\dfrac{1}{14}$　⑤ $\dfrac{1}{7}$

③ $\dfrac{15}{28}$　⑥ $\dfrac{3}{14}$

① $\dfrac{2}{5}$　④ 7

② 3　⑤ $\dfrac{3}{4}$

③ $\dfrac{1}{2}$　⑥ $\dfrac{4}{5}$

① $\dfrac{1}{20}$　② $\dfrac{1}{7}$　⑦ $\dfrac{7}{8}$　⑧ 1

③ $\dfrac{1}{24}$　④ $\dfrac{7}{30}$　⑨ $\dfrac{3}{5}$　⑩ $\dfrac{3}{4}$

⑤ $\dfrac{1}{24}$　⑥ $\dfrac{1}{60}$　⑪ $\dfrac{1}{3}$　⑫ $\dfrac{3}{5}$

① $3, \dfrac{5}{7}, 2\dfrac{1}{7}$　⑤ $\dfrac{3}{6}, \dfrac{2}{4}, \dfrac{1}{4}$

② $2, \dfrac{5}{6}, 1\dfrac{2}{3}$　⑥ $\dfrac{2}{7}, \dfrac{4}{6}, \dfrac{4}{21}$

③ $4, \dfrac{8}{9}, 3\dfrac{5}{9}$　⑦ $\dfrac{5}{8}, \dfrac{1}{9}, \dfrac{5}{72}$

④ $\dfrac{5}{8}, \dfrac{3}{7}, \dfrac{15}{56}$

①~③은 자연수와 분자가 서로 바뀔 수 있고,
④~⑦은 두 분수의 분자, 분모가 서로 바뀔 수 있습니다.

① $\dfrac{28}{81}$　⑤ $\dfrac{2}{15}$

② $2\dfrac{1}{4}$　⑥ $\dfrac{5}{36}$

③ $\dfrac{1}{5}$　⑦ $\dfrac{3}{8}$

④ $1\dfrac{1}{3}$

① $\dfrac{5}{6} \times 3 = \dfrac{5}{2} = 2\dfrac{1}{2}, \quad 2\dfrac{1}{2}$

② $\dfrac{1}{2} \times \dfrac{1}{3} = \dfrac{1}{6}, \quad \dfrac{1}{6}$

③ $3 \times \dfrac{4}{5} = \dfrac{12}{5} = 2\dfrac{2}{5}, \quad 2\dfrac{2}{5}$

④ $\dfrac{8}{5} \times \dfrac{8}{5} = \dfrac{64}{25} = 2\dfrac{14}{25}, \quad 2\dfrac{14}{25}$

2주차 - 여러 가지 분수의 곱셈

① $3, \dfrac{24}{11}, 6\dfrac{6}{11}$　② $3, \dfrac{41}{12}, 10\dfrac{1}{4}$

③ $\dfrac{11}{8}, 2, 2\dfrac{3}{4}$　④ $\dfrac{11}{4}, 6, 16\dfrac{1}{2}$

⑤ $\dfrac{7}{6}, 4, 4\dfrac{2}{3}$　⑥ $\dfrac{7}{5}, 4, 5\dfrac{3}{5}$

⑦ $6, \dfrac{20}{9}, 13\dfrac{1}{3}$　⑧ $\dfrac{11}{3}, 2, 7\dfrac{1}{3}$

⑨ $\dfrac{11}{8}, 8, 11$　⑩ $2, \dfrac{35}{8}, 8\dfrac{3}{4}$

① $2, 9, \dfrac{1}{3}, 9, 18, 3, 21$

② $6, 1, 6, \dfrac{3}{4}, 6, \dfrac{9}{2}, 6, 4\dfrac{1}{2}, 10\dfrac{1}{2}$

③ $3, 4, \dfrac{1}{4}, 4, 12, 1, 13$

④ $3, 4, 3, \dfrac{1}{3}, 12, 1, 13$

⑤ $1, 2, \dfrac{3}{8}, 2, 2, \dfrac{3}{4}, 2\dfrac{3}{4}$

① $5\dfrac{1}{3}$　② $7\dfrac{1}{3}$　⑨ $30\dfrac{1}{2}$　⑩ $6\dfrac{1}{5}$

③ $11\dfrac{1}{4}$　④ $17\dfrac{1}{3}$　⑪ $11\dfrac{1}{3}$　⑫ $27\dfrac{1}{3}$

⑤ $25\dfrac{1}{3}$　⑥ $22\dfrac{1}{2}$　⑬ $19\dfrac{7}{8}$　⑭ $14\dfrac{1}{3}$

⑦ $3\dfrac{3}{4}$　⑧ $5\dfrac{3}{5}$

① $\dfrac{17}{5}, \dfrac{5}{3}, \dfrac{17}{3}, 5\dfrac{2}{3}$

② $\dfrac{3}{2}, \dfrac{4}{3}, \dfrac{2}{1}, 2$

③ $\dfrac{5}{3}, \dfrac{9}{5}, \dfrac{3}{1}, 3$

④ $\dfrac{15}{7}, \dfrac{7}{3}, \dfrac{5}{1}, 5$

⑤ $\dfrac{7}{3}, \dfrac{6}{5}, \dfrac{14}{5}, 2\dfrac{4}{5}$

⑥ $\dfrac{7}{6}, \dfrac{9}{7}, \dfrac{3}{2}, 1\dfrac{1}{2}$

30쪽

① $3\frac{1}{2}$ ② $2\frac{1}{5}$ | ⑦ $7\frac{1}{2}$ ⑧ $5\frac{1}{4}$

③ $6\frac{2}{3}$ ④ $5\frac{1}{3}$ | ⑨ $9\frac{2}{7}$ ⑩ $6\frac{1}{4}$

⑤ $5\frac{5}{7}$ ⑥ $4\frac{2}{3}$

31쪽

$1\frac{5}{6}$	$1\frac{1}{4}$	$2\frac{7}{24}$
$2\frac{2}{5}$	$1\frac{7}{18}$	$3\frac{1}{3}$
$4\frac{2}{5}$	$1\frac{53}{72}$	

$2\frac{1}{2}$	$3\frac{1}{3}$	$8\frac{1}{3}$
$2\frac{3}{5}$	$3\frac{2}{3}$	$9\frac{8}{15}$
$6\frac{1}{2}$	$12\frac{2}{9}$	

$1\frac{1}{2}$	$2\frac{4}{5}$	$4\frac{1}{5}$
$3\frac{2}{3}$	$1\frac{3}{4}$	$6\frac{5}{12}$
$5\frac{1}{2}$	$4\frac{9}{10}$	

$1\frac{7}{9}$	$1\frac{3}{4}$	$3\frac{1}{9}$
$1\frac{9}{11}$	$3\frac{3}{10}$	6
$3\frac{23}{99}$	$5\frac{31}{40}$	

32쪽

① $\frac{5}{8}$ ② $\frac{2}{3}$ | ⑦ $7\frac{1}{2}$ ⑧ $\frac{5}{14}$

③ $22\frac{1}{2}$ ④ $4\frac{1}{8}$ | ⑨ $\frac{27}{52}$ ⑩ $2\frac{2}{21}$

⑤ $1\frac{5}{16}$ ⑥ 8

33쪽

① $1\frac{3}{5}$ ② $40\frac{1}{2}$ | ⑨ $\frac{5}{21}$ ⑩ $\frac{9}{28}$

③ $\frac{1}{15}$ ④ $2\frac{4}{5}$ | ⑪ $7\frac{1}{2}$ ⑫ 10

⑤ $\frac{2}{75}$ ⑥ 3 | ⑬ $31\frac{1}{2}$ ⑭ 6

⑦ 10 ⑧ $17\frac{1}{2}$

34쪽

① $4 > 3$ | ④ $7\frac{1}{2} = 7\frac{1}{2}$

② $1\frac{1}{3} < 1\frac{13}{27}$ | ⑤ $5\frac{1}{3} = 5\frac{1}{3}$

③ $9\frac{2}{7} > 8\frac{8}{9}$ | ⑥ $10 < 12\frac{1}{4}$

35쪽

① $10\frac{5}{7}$ | ⑤ 6

② $4\frac{2}{9}$ | ⑥ $9\frac{1}{2}$

③ $9\frac{1}{3}$ | ⑦ $4\frac{2}{7}$

④ $7\frac{1}{5}$

36쪽

① $7\frac{5}{9}$ | ⑤ $3\frac{1}{3}$

② $1\frac{1}{2}$ | ⑥ $37\frac{1}{12}$

③ $13\frac{1}{5}$ | ⑦ $32\frac{4}{21}$

④ $7\frac{7}{9}$

37쪽

① $12\frac{1}{4}$ ② $2\frac{1}{8}$

③ $4\frac{3}{8}$ ④ $\frac{8}{9}$

⑤ $7\frac{1}{2}$ ⑥ 18

38쪽

$\frac{2}{3}$ → ⟨$\frac{1}{2}$⟩ 4 ⟨$\frac{1}{3}$⟩ 25 → ⟨$\frac{8}{15}$⟩ 10 ⟨$2\frac{2}{2}$⟩

3 → 5 ⟨$4\frac{2}{2}$⟩⟨$\frac{2}{3}$⟩ $1\frac{1}{11}$ → 5 ⟨$\frac{1}{3}$⟩⟨$\frac{9}{11}$⟩

$\frac{2}{9}$ → ⟨$1\frac{1}{9}$⟩ 2 ⟨$\frac{1}{5}$⟩ 18 → ⟨$\frac{1}{8}$⟩ 16 ⟨$\frac{1}{24}$⟩

$1\frac{2}{3}$ → ⟨$2\frac{3}{5}$⟩⟨$\frac{5}{8}$⟩ 6 $1\frac{5}{7}$ → ⟨$1\frac{2}{3}$⟩⟨$\frac{6}{7}$⟩ 2

10 → 6 ⟨$\frac{2}{9}$⟩⟨$1\frac{2}{3}$⟩ $2\frac{4}{5}$ → ⟨21⟩⟨$\frac{2}{15}$⟩ $1\frac{2}{7}$

39쪽

⟨$1\frac{3}{8} \times \frac{1}{11} \times 2$⟩ $\frac{1}{4}$ $1\frac{3}{4} \times \frac{3}{14} \times 4$ $1\frac{1}{2}$

⟨$2\frac{1}{9} \times \frac{3}{38} \times 2$⟩ $\frac{1}{3}$ ⟨$3\frac{9}{10} \times \frac{2}{13} \times \frac{1}{9}$⟩ $\frac{1}{15}$

$5\frac{3}{7} \times \frac{4}{19} \times \frac{3}{8}$ $\frac{3}{7}$ $6\frac{1}{4} \times \frac{2}{25} \times 4$ 2

⟨$2\frac{2}{9} \times \frac{1}{10} \times \frac{3}{4}$⟩ $\frac{1}{6}$ ⟨$8\frac{3}{4} \times \frac{1}{7} \times \frac{2}{15}$⟩ $\frac{1}{6}$

40쪽

① $4\frac{2}{3} \times \frac{3}{5} \times \frac{2}{7} = \frac{4}{5}$, $\frac{4}{5}$

② $5000 \times \frac{3}{8} \times \frac{2}{3} = 1250$, 1250

③ $3\frac{1}{3} \times \frac{3}{5} \times \frac{3}{5} = 1\frac{1}{5}$, $1\frac{1}{5}$

④ $4\frac{4}{5} \times \frac{5}{6} \times \frac{3}{4} = 3$, 3

42쪽

① $2\frac{1}{2}$ ② $1\frac{1}{3}$ ⑦ $\frac{1}{2}$

③ $\frac{5}{18}$ ④ $1\frac{1}{2}$ ⑧ $1\frac{1}{4}$

⑤ 16 ⑥ $\frac{1}{15}$ ⑨ $26\frac{2}{3}$

⑩ 3

43쪽

① 2 ② $7\frac{1}{2}$ ⑦ $1\frac{1}{4}$

③ $\frac{1}{6}$ ④ $\frac{1}{3}$ ⑧ 3

⑤ 18 ⑥ $\frac{4}{15}$ ⑨ 10

⑩ 30

44쪽

① $3\frac{1}{3}$ ② $1\frac{4}{5}$ ⑦ $\frac{5}{8}$

③ $\frac{1}{4}$ ④ $\frac{2}{3}$ ⑧ $\frac{1}{2}$

⑤ $12\frac{1}{2}$ ⑥ $\frac{8}{27}$ ⑨ $3\frac{3}{4}$

⑩ $11\frac{1}{4}$

45쪽

① $1\frac{1}{3}$ ② $1\frac{1}{2}$ ⑦ $\frac{5}{12}$

③ $\frac{1}{3}$ ④ $\frac{5}{6}$ ⑧ $\frac{35}{36}$

⑤ $9\frac{2}{3}$ ⑥ $\frac{5}{18}$ ⑨ $4\frac{1}{2}$

⑩ $4\frac{1}{8}$

46쪽

① $1\frac{1}{11}$ ② $3\frac{1}{3}$ ⑦ $\frac{5}{16}$

③ $\frac{5}{14}$ ④ $\frac{3}{4}$ ⑧ $\frac{2}{5}$

⑤ $11\frac{2}{3}$ ⑥ $\frac{1}{4}$ ⑨ $14\frac{3}{4}$

⑩ $2\frac{5}{6}$

47쪽

① 2 ② $1\frac{1}{4}$ ⑦ $\frac{3}{5}$

③ $\frac{1}{3}$ ④ $\frac{2}{5}$ ⑧ $\frac{7}{8}$

⑤ $13\frac{1}{2}$ ⑥ $\frac{7}{18}$ ⑨ $10\frac{1}{3}$

⑩ $29\frac{3}{8}$

48쪽

① $1\frac{1}{4}$ ② $2\frac{2}{3}$ ⑦ $\frac{2}{7}$

③ $\frac{1}{8}$ ④ $\frac{19}{21}$ ⑧ $\frac{7}{12}$

⑤ $12\frac{2}{3}$ ⑥ $\frac{5}{14}$ ⑨ $14\frac{7}{9}$

⑩ $3\frac{3}{14}$

49쪽

① $2\frac{1}{2}$ ② $3\frac{1}{2}$ ⑦ $\frac{13}{21}$

③ $\frac{10}{21}$ ④ $\frac{3}{8}$ ⑧ $\frac{1}{5}$

⑤ $28\frac{2}{3}$ ⑥ $\frac{3}{4}$ ⑨ $6\frac{5}{9}$

⑩ $22\frac{2}{7}$

50쪽

① $5\frac{3}{5}$ ② $1\frac{1}{3}$ ⑦ $\frac{11}{16}$

③ $\frac{1}{10}$ ④ $\frac{1}{6}$ ⑧ $\frac{15}{16}$

⑤ $13\frac{1}{3}$ ⑥ $\frac{7}{36}$ ⑨ $5\frac{1}{4}$

⑩ $13\frac{7}{8}$

51쪽

① $2\frac{2}{3}$ ② $4\frac{1}{2}$ ⑦ $\frac{7}{8}$

③ $\frac{5}{12}$ ④ $\frac{9}{10}$ ⑧ $\frac{1}{2}$

⑤ $10\frac{7}{8}$ ⑥ $\frac{1}{6}$ ⑨ $15\frac{1}{6}$

⑩ $3\frac{7}{9}$

4주차 - 소수와 자연수의 곱셈

54쪽

① 4.96 ② 0.128

③ 13.05 ④ 32.25

⑤ 18.84 ⑥ 1471.9

⑦ 178.25 ⑧ 403.2

⑨ 6.17 ⑩ 253 ⑪ 4165

55쪽

① 21 ② 7.5 ③ 6

④ 1.47 ⑤ 12.35 ⑥ 3.3

⑦ 44.64 ⑧ 69.6 ⑨ 115.2

56쪽

① 11.76　② 2.934　③ 24.3

④ 1.62　⑤ 23.52　⑥ 207.9

⑦ 54.47　⑧ 438.36　⑨ 563.03

57쪽

① 8, 3　　　　② 13, 7

8, 3, 24　　　13, 7, 91

24　　　　　　91

2.4　　　　　0.91

③ 26, 4　　　④ 118, 3

26, 4, 104　　118, 3, 354

104　　　　　354

10.4　　　　　3.54

58쪽

① 6, 5　　　　② 8, 25

6, 5, 30　　　8, 25, 200

30　　　　　　200

3　　　　　　2

③ 45, 6　　　④ 35, 6

45, 6, 270　　35, 6, 210

270　　　　　210

27　　　　　　0.21

59쪽

① 6.4　　　　② 8.19

③ 0.8　　　　④ 9

⑤ 7.6　　　　⑥ 9

⑦ 1　　　　　⑧ 4.2

⑨ 2.61　　　⑩ 0.21

⑪ 1.2　　　　⑫ 9.25

⑬ 7.2　　　　⑭ 1159.1

60쪽

① $\frac{2}{100}$, $\frac{12}{100}$, 0.12

② $\frac{18}{10}$, $\frac{72}{10}$, 7.2

③ $\frac{54}{100}$, $\frac{162}{100}$, 1.62

④ $\frac{7}{100}$, $\frac{84}{100}$, 0.84

⑤ $\frac{12}{1000}$, $\frac{108}{1000}$, 0.108

61쪽

① $\frac{8}{100}$, $\frac{40}{100}$, 0.40, 0.4

② $\frac{15}{10}$, $\frac{90}{10}$, 9

③ $\frac{65}{100}$, $\frac{260}{100}$, 2.60, 2.6

④ $\frac{105}{100}$, $\frac{840}{100}$, 8.40, 8.4

⑤ $\frac{78}{1000}$, $\frac{390}{1000}$, 0.390, 0.39

62쪽

① 2.4　　　　② 19.2

③ 2　　　　　④ 35.6

⑤ 6.4　　　　⑥ 0.98

⑦ 16.24　　⑧ 14.3

⑨ 0.84　　　⑩ 156

⑪ 9.68　　　⑫ 11.9

⑬ 27.02　　⑭ 175.14

63쪽

① 36, $\frac{1}{10}$, 3.6　② 65, $\frac{1}{100}$, 0.65

③ 248, $\frac{1}{10}$, 24.8　④ 144, $\frac{1}{100}$, 1.44

⑤ 225, $\frac{1}{100}$, 2.25　⑥ 574, $\frac{1}{10}$, 57.4

64쪽

① 42　　　　　② 36
4.2　　　　　　0.36

③ 150　　　　④ 112
1.5　　　　　　1.12

⑤ 156　　　　⑥ 240
1.56　　　　　2.4

⑦ 945　　　　⑧ 372
94.5　　　　　3.72

⑨ 1248　　　⑩ 928
124.8　　　　92.8

65쪽

① 3.84　　　　② 1.35

③ 31.8　　　　④ 9.55

⑤ 36.54　　　⑥ 203.2

⑦ 0.45　　　　⑧ 8.73

⑨ 2.24　　　　⑩ 1.2

⑪ 23.75　　　⑫ 310.8

⑬ 72.21　　　⑭ 118.91

66쪽

① 9.36　② 428.4　③ 4.745

④ 43.24　⑤ 37.84　⑥ 1.377

⑦ 20.46　⑧ 3.445　⑨ 204.4

① $3.45 \times 2 = 6.9$
$34.5 \times 2 = 69$

② $5.69 \times 4 = 22.76$
$56.9 \times 4 = 227.6$

③ $7.89 \times 3 = 23.67$
$78.9 \times 3 = 236.7$

④ $3.56 \times 2 = 7.12$
$35.6 \times 2 = 71.2$

⑤ $6.89 \times 5 = 34.45$
$68.9 \times 5 = 344.5$

⑥ $3.78 \times 2 = 7.56$
$37.8 \times 2 = 75.6$

⑦ $5.68 \times 4 = 22.72$
$56.8 \times 4 = 227.2$

① $3.5 \times 6 = 21$, 21

② $0.21 \times 2 \times 15 = 6.3$, 6.3

③ $15.67 \times 12 = 188.04$, 188.04

④ $3.45 \times 9 = 31.05$, 31.05

5주차 - 소수와 소수의 곱셈

① 0.21   ② 1.68

③ 0.0104   ④ 10.66

⑤ 0.0572   ⑥ 0.09

⑦ 1.71   ⑧ 2

⑨ 0.295   ⑩ 11.118   ⑪ 79.04

① 0.434   ② 1.62   ③ 0.352

④ 0.4718   ⑤ 0.492   ⑥ 0.3748

⑦ 0.2052   ⑧ 0.2275   ⑨ 0.024

① 2.829   ② 0.2304   ③ 9.85

④ 9.12   ⑤ 1.204   ⑥ 1.998

⑦ 1.7766   ⑧ 10.049   ⑨ 6.58

① $\dfrac{6}{100}, \dfrac{3}{10}, \dfrac{18}{1000}$, 0.018

② $\dfrac{35}{10}, \dfrac{9}{10}, \dfrac{315}{100}$, 3.15

③ $\dfrac{8}{100}, \dfrac{18}{10}, \dfrac{144}{1000}$, 0.144

④ $\dfrac{7}{10}, \dfrac{58}{100}, \dfrac{406}{1000}$, 0.406

⑤ $\dfrac{16}{100}, \dfrac{24}{100}, \dfrac{384}{10000}$, 0.0384

① 0.72   ② 1.12

③ 0.19   ④ 1.08

⑤ 0.364   ⑥ 0.006

⑦ 5.94   ⑧ 13.12

⑨ 17.25   ⑩ 3.276

⑪ 0.2415   ⑫ 0.6344

① 0.03   ② 0.5

③ 0.024   ④ 0.45

⑤ 0.36   ⑥ 5.7

⑦ 4.15   ⑧ 1.12

⑨ 17.92   ⑩ 0.81

⑪ 2.675   ⑫ 7.668

① 3.45   ② 23.5

③ 34.5   ④ 2.35

⑤ 345   ⑥ 0.235

① 63
0.63
0.0063

② 72
0.072
0.0072

③ 325
0.0325
0.00325

④ 1957
0.1957
1.957

① 6.111   ② 0.8352   ③ 3.773

④ 0.1484   ⑤ 0.2686   ⑥ 2.99

⑦ 0.00336   ⑧ 0.408   ⑨ 0.0375

① 3.036

② 7.182

③ 5.148

④ 0.00696

80쪽

① 1.164

② 1.677

③ 1.586

④ 31.02

81쪽

① 0.0882　② 7.29

③ 1.536　④ 7.8

⑤ 6.105　⑥ 0.6204

⑦ 1.066　⑧ 34.8

82쪽

① 70.56　② 61.366

③ 67.392　④ 66.42

⑤ 93.75　⑥ 116.64

⑦ 59.34　⑧ 62.4

83쪽

① 　0.344　＜　0.425

② 　1.278　＜　1.5912

③ 13.632　＞　11.232

④ 　1.92　＝　1.92

⑤ 　6.601　＜　7.4438

⑥ 　4.2904　＞　4.1344

⑦ 17.3536　＞　17.248

84쪽

① 1.5 × 0.8 = 1.2, 1.2

② 0.34 × 6.3 = 2.142, 2.142

③ 1.6×1.9=3.04, 3.04

④ 2.94 × 5.3 = 15.582, 15.582

6주차 - 도전! 계산왕

86쪽

① 1.5　② 1.28　③ 1.47

④ 66.01　⑤ 1.827　⑥ 8.649

⑦ 0.63　⑧ 1.12　⑨ 41.4

⑩ 4.365　⑪ 13.92　⑫ 15.322

87쪽

① 1.4　② 2.16　③ 1.6

④ 24.72　⑤ 3.402　⑥ 169.92

⑦ 0.81　⑧ 2.59　⑨ 24.8

⑩ 2.025　⑪ 26.46　⑫ 4.7841

88쪽

① 4.8　② 2.66　③ 1.44

④ 51.52　⑤ 1.716　⑥ 9.537

⑦ 0.12　⑧ 3.69　⑨ 22.2

⑩ 4.638　⑪ 17.98　⑫ 53.417

89쪽

① 8.1　② 0.88　③ 1.98

④ 73.08　⑤ 16.38　⑥ 38.502

⑦ 0.27　⑧ 6.23　⑨ 16

⑩ 3.732　⑪ 35.72　⑫ 34.827

90쪽

① 0.25　② 25.38　③ 14.8

④ 3.888　⑤ 18.62　⑥ 12.865

⑦ 0.6　⑧ 2.22　⑨ 3.3

⑩ 19.572　⑪ 2.604　⑫ 26.488

91쪽

① 4.48　② 2.97　③ 4.9

④ 3.102　⑤ 70.635　⑥ 31.228

⑦ 1.98　⑧ 16.1　⑨ 0.72

⑩ 52.38　⑪ 6.575　⑫ 2.331

92쪽

① 3.2　② 17.64　③ 2.03

④ 0.15　⑤ 3.36　⑥ 19.4

⑦ 3.768　⑧ 17.05　⑨ 18.241

⑩ 10.64　⑪ 3.569　⑫ 27.16

① 4.2　② 1.2　③ 3.78

④ 37.04　⑤ 5.544　⑥ 42.408

⑦ 0.18　⑧ 5.88　⑨ 42.4

⑩ 2.672　⑪ 52.38　⑫ 19.296

① 3.57　② 3.6　③ 2.82

④ 1.435　⑤ 75.78　⑥ 2.925

⑦ 1.68　⑧ 0.1　⑨ 69.3

⑩ 25.42　⑪ 3.726　⑫ 17.286

① 0.4　② 1.96　③ 5.18

④ 32.2　⑤ 11.193　⑥ 2.448

⑦ 0.32　⑧ 47.2　⑨ 2.17

⑩ 2.496　⑪ 10.285　⑫ 4.62

정답

총괄 테스트

초등 원리셈 5학년
4권 분수와 소수의 곱셈

01 약분을 해서 반칸을 채우고 곱셈을 계산하세요.
① $\frac{5}{6} \times \frac{3}{5} = \frac{1}{2}$ ② $\frac{4}{5} \times \frac{7}{12} = \frac{7}{15}$ ③ $\frac{4}{9} \times \frac{3}{16} = \frac{1}{12}$ $\frac{5}{18}$ $\frac{1}{3}$ $\frac{1}{4}$

02 곱이 가장 크도록 세 분수 중 두 분수를 골라 곱하세요.
① $\frac{3}{8}$ $\frac{1}{4}$ $\frac{4}{7}$ → $\frac{3}{14}$ ② $\frac{1}{6}$ $\frac{1}{4}$ $\frac{4}{15}$ → $\frac{1}{15}$

03 반칸을 채워 분수의 곱셈을 계산하세요.
① $8\frac{4}{9} \times 5\frac{2}{4} = \frac{76}{9} \times \frac{23}{4} = \frac{48}{9}$ $\frac{5}{4}$
② $7\frac{3}{10} \times 3\frac{3}{4} = \frac{73}{10} \times \frac{15}{4} = 27\frac{3}{8}$

04 분수의 곱셈을 계산하세요.
① $\frac{6}{7} \times \frac{8}{9} = \frac{16}{21}$ ② $\frac{20}{9} \times \frac{5}{12} = \frac{25}{27}$
③ $\frac{9}{14} \times 4\frac{3}{8} = 2\frac{13}{16}$ ④ $\frac{16}{9} \times \frac{21}{20} = 1\frac{13}{15}$

05 분수의 곱셈을 계산하세요.
① $\frac{7}{10} \times \frac{4}{7} \times \frac{5}{12} = \frac{1}{6}$
② $\frac{16}{3} \times \frac{9}{20} \times \frac{7}{15} = 1\frac{3}{25}$
③ $\frac{9}{20} \times 6\frac{2}{3} \times 27 = 87\frac{4}{7}$

06 반칸을 채워 소수와 자연수의 곱셈을 계산하세요.
① 0.23×4 → 0.01이 23개서 4 묶음 → $23 \times 4 = 92$ → 0.01이 92개 → $0.23 \times 4 = 0.92$
② 1.4×7 → 0.1이 14개서 7 묶음 → $14 \times 7 = 98$ → 0.1이 98개 → $1.4 \times 7 = 9.8$

07 소수의 곱셈을 계산하세요.
① $9 \times 0.9 = 8.1$ ② $0.93 \times 5 = 4.65$
③ $4 \times 0.24 = 0.96$ ④ $1.6 \times 4 = 6.4$

08 반칸을 채워 소수의 곱셈을 계산하세요.
① $0.16 \times 0.4 = \frac{16}{100} \times \frac{4}{10} = \frac{64}{1000} = 0.064$
② $2.4 \times 1.41 = \frac{24}{10} \times \frac{141}{100} = \frac{3384}{1000} = 3.384$

09 소수의 곱셈을 계산하세요.
① $0.5 \times 4 = 2$ ② $11.6 \times 0.8 = 9.28$ ③ $3.25 \times 2.4 = 7.8$

10 소수의 곱셈을 계산하세요.
① $0.6 \times 1.5 \times 0.8 = 0.72$
② $2.7 \times 3.2 \times 3.25 = 28.08$
③ $0.75 \times 3 \times 1.6 = 3.6$

초등 원리셈 5학년 4권

11 약분을 해서 반칸을 채우고 곱셈을 계산하세요.
① $\frac{4}{9} \times \frac{8}{5} = \frac{2}{15}$ ② $\frac{2}{6} \times \frac{4}{7} = \frac{8}{15}$ ③ $\frac{9}{20} \times \frac{2}{5} = \frac{1}{15}$ $\frac{2}{3}$ $\frac{3}{5}$

12 곱이 가장 크도록 세 분수 중 두 분수를 골라 곱하세요.
① $\frac{5}{9}$ $\frac{1}{2}$ $\frac{7}{10}$ → $\frac{7}{18}$ ② $\frac{2}{7}$ $\frac{1}{3}$ $\frac{3}{10}$ → $\frac{1}{10}$

13 반칸을 채워 분수의 곱셈을 계산하세요.
① $6\frac{4}{5} \times 1\frac{3}{11} = \frac{33}{5} \times \frac{14}{11} = 8\frac{2}{11}$
② $1\frac{3}{20} \times 5\frac{5}{7} = \frac{23}{20} \times \frac{40}{7} = 6\frac{4}{7}$

14 분수의 곱셈을 계산하세요.
① $\frac{2}{9} \times \frac{5}{8} = \frac{5}{36}$ ② $\frac{16}{7} \times \frac{21}{64} = \frac{3}{4}$
③ $\frac{4}{11} \times 7\frac{1}{3} = 2\frac{2}{3}$ ④ $\frac{15}{8} \times \frac{16}{5} = 6$

15 분수의 곱셈을 계산하세요.
① $\frac{5}{14} \times \frac{6}{5} \times \frac{4}{15} = \frac{4}{35}$
② $\frac{25}{9} \times \frac{12}{11} \times \frac{27}{25} = 3\frac{3}{11}$
③ $\frac{7}{15} \times 4\frac{2}{7} \times 5\frac{1}{3} = 10\frac{2}{3}$

16 반칸을 채워 소수와 자연수의 곱셈을 계산하세요.
① $3 \times 7 = 21$ ② $19 \times 4 = 76$ → $\frac{1}{100}$ 배 → $\frac{1}{10}$ 배 → $3 \times 0.7 = 2.1$ → $0.19 \times 4 = 0.76$

17 소수의 곱셈을 계산하세요.
① $4 \times 1.2 = 4.8$ ② $0.42 \times 6 = 2.52$
③ $5 \times 0.44 = 2.2$ ④ $1.8 \times 4 = 7.2$

18 반칸을 채워 소수의 곱셈을 계산하세요.
① $0.26 \times 0.3 = \frac{26}{100} \times \frac{3}{10} = \frac{78}{1000} = 0.078$
② $3.1 \times 2.45 = \frac{31}{10} \times \frac{245}{100} = \frac{7595}{1000} = 7.595$

19 소수의 곱셈을 계산하세요.
① $1.5 \times 7 = 10.5$ ② $21.6 \times 1.5 = 32.4$ ③ $2.16 \times 3.5 = 7.56$

20 소수의 곱셈을 계산하세요.
① $1.6 \times 2.5 \times 0.7 = 2.8$
② $2.5 \times 2.4 \times 5.3 = 31.8$
③ $0.25 \times 9 \times 4.5 = 10.125$

초등 | 수학 전문가가 만든 연산 교재

원리셈

원리
이해

다양한
계산 방법

충분한
연습

성취도
확인

그 많은 문제를 풀고도 몰랐던

초등 사고력 수학의 원리 1
초등 사고력 수학의 전략 2

● 초등 사고력 수학의 원리 1

원리는 수학의 시작

● 초등 사고력 수학의 전략 2

문제해결은 수학의 끝

✓ **진정한 수학 실력은** 원리의 이해와 문제 해결 전략에서 나온다.

✓ **수학의 시작과 끝을** 제대로 알고 수학 실력 올리자!

✓ **재미있게 읽을 수 있는** 17년 초등 사고력 수학의 노하우

천종현수학연구소의  교재 흐름도

| 4세 | 5세 | 6세 | 7세 | 초1 | |

유아 자신감 수학
만 3세

유아 자신감 수학
만 4세

유아 자신감 수학
만 5세

유아 자신감 수학 : 유아 수학 입문서

• 처음에는 엄마, 아빠와 함께, 나중에는 아이 스스로
• 개념의 이해부터 적용까지

원리셈 : 기본 연산 학습서

• 매일 10분씩 원리로부터 실력까지
  연산의 완성!!
• 다양한 형태의 문제와 충분한
  연습으로 쉽고 재미있게

키즈 원리셈
5, 6세

키즈 원리셈
6, 7세

키즈 원리셈
예비 초등 7, 8세

초등 원리셈
초등1

TOP사고력 : 사고력 수학의 으뜸

• 수학적 직관력 / 문제 이해력 기르기
• 영역별 나선형식 반복 학습 구조

탑사고력
K 단계

탑사고력
P 단계

탑사고력
A 단계

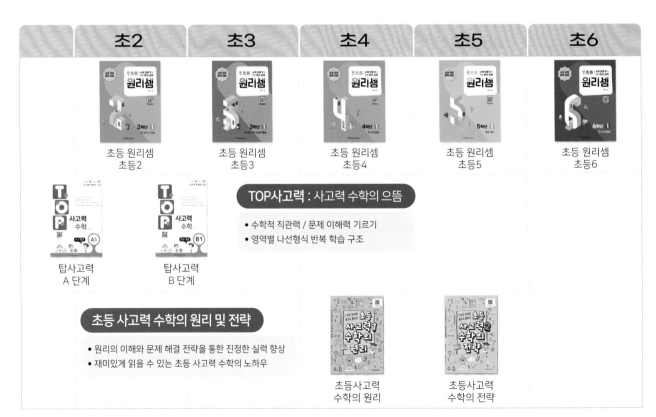

| 초2 | 초3 | 초4 | 초5 | 초6 |

초등 원리셈
초등2

초등 원리셈
초등3

초등 원리셈
초등4

초등 원리셈
초등5

초등 원리셈
초등6

탑사고력
A 단계

탑사고력
B 단계

TOP사고력 : 사고력 수학의 으뜸

• 수학적 직관력 / 문제 이해력 기르기
• 영역별 나선형식 반복 학습 구조

초등 사고력 수학의 원리 및 전략

• 원리의 이해와 문제 해결 전략을 통한 진정한 실력 향상
• 재미있게 읽을 수 있는 초등 사고력 수학의 노하우

초등사고력
수학의 원리

초등사고력
수학의 전략